Zan

Zan
nomade

CAR
ACT
ERE

LIVRE
Alex Brazeau : illustrations de l'intérieur et de la couverture
Bruno Paradis : conception de la couverture
Folio infographie : conception graphique et mise en pages
Brigitte Blais : révision
Isabelle Maes : correction d'épreuves

SITE WEB
Anne-Marie Saint-Cerny : concept et idéation
Alex Brazeau : illustrations
Gabriel Morin : musique, conception Web, programmation, direction artistique
Anaïs Faubert : création, direction artistique, photomontage, illustrations
Maximilien Faubert : animation 3D, vidéoclips
Laurent Brais-Bissonnette : illustrations, photomontage

Merci à Alexis et Janie Masse-Dufresne, à Rihab Chaieb, à Sophie Desroches, à Félix Pouliot, à Sabrina Desjardins, à Vincent François, à Daniel Green et à Alain Dufresne.

Imprimé au Canada

ISBN : 978-2-89642-028-5

Dépôt légal – Bibliothèque et Archives nationales du Québec, 2007
© 2007 Éditions Caractère

Gouvernement du Québec – Programme de crédit d'impôt pour l'édition de livres – Gestion SODEC

Visitez le site des Éditions Caractère
www.editionscaractere.com

www.Aventurezan.com

Pour accéder à la page de Zan et de ses amis, vous devez d'abord vous inscrire, en cliquant sur « Pour joindre le monde de Zan, clique ici » à *www.aventurezan.com*. Remplissez les cases selon les instructions.

En lisant le livre, chaque fois que vous voyez le pictogramme ◡◡ , allez sur le Web et ouvrez votre session. Inscrivez le nouveau code secret que Zan vous donne. Vous pouvez aussi utiliser un code précédent pour retourner sur les pages perso chaque fois que vous en avez envie.

Lisez les blogues de Zan. Elle vous donne des indices et des informations.

Cliquez sur « Ma musique » et l'écran vidéo. Vous aurez des surprises !

Promenez-vous sur les pages perso des amis de Zan. Les façons de s'y rendre sont multiples. À toi de les découvrir.

Tapez dans *Troouve* les mots que Zan vous indique. Des informations apparaîtront. Attention ! Parfois, Zan donne de mauvais indices. Il faut les chercher !

Zan a besoin de *PlanèteTroouve*. Chaque fois que Zan donne un indice sur une ville, ou le nom d'une ville, avec des icônes, cherche d'abord dans *Troouve* où est située cette ville. Puis clique sur le nom de cette ville sur la carte. Tu pourras découvrir ainsi le trajet de Zan !

La page « Aide », dans le menu des pages perso, peut aussi vous être utile.

Amusez-vous !

Note de l'auteure

Lostmax devient pour Zan un ami virtuel, un confident, une personne sur qui elle peut compter et en qui elle peut avoir confiance aussi.

En revanche, les aventures de Zan ne sont que de la fiction. Prends bien garde de ne pas courir de risques avec des amis virtuels inconnus. La vie n'est pas un roman ! Bonne lecture...

ANNE-MARIE

23 AOÛT

8 h 48 — Super matin ! — Pas encore vraiment réveillée ! Non, ma vieille Zan ! Tu n'es plus au SAS ! — Tu n'es même plus dans ton pays ! Réveille-toi !

En tout cas, j'ai sauvé Élixir.

Élixir, mon *cockatiel* apprivoisé.

J'ai sauvé Élixir de la vilaine madame Doulce, de Dex et de tous ceux qui nous voulaient du mal !

Cette méchante madame Doulce ! Elle m'a envoyée faire un voyage au bout du monde, dans un pays que je ne connais même pas ! Mais Élixir est avec moi ! Même si elle ne voulait pas !

C'est bien fait pour madame Doulce !

Mais quand même !!!!!

Où est-ce que je suis ? Dans quel pays du bout du monde est-ce qu'ils m'ont envoyée ?

Toute une aventure !

Tout s'est passé si vite ! Le nouveau directeur du SAS, monsieur Trempe, m'a exclue du SAS, de mon école de cirque où j'avais tous mes amis. Il m'a renvoyée parce que je posais trop de questions, et que je fouinais trop.

Heureusement que je pose beaucoup de questions et que je fouine partout ! Sinon, je n'aurais pas résolu le mystère du SAS, de mes amis malades et des animaux morts! Je pose des questions quand je ne comprends pas ce qui arrive autour de moi. Et je me défends quand je ne me sens pas bien, quand on veut nous faire du mal. Voilà!

Résultat: le nouveau directeur du SAS et madame Doulce, qui s'occupe de moi pour les Services à la jeunesse, n'aimaient pas ma petite personnalité! Alors, ils m'ont enlevée — oui, enlevée! enlevée de chez moi et de mes amis —, et m'ont envoyée dans un pays que je ne connais pas. Après le plus long voyage de toute ma vie!

Cette madame Doulce, des Services à la jeunesse, elle m'a gardée chez elle pendant presque une semaine après qu'on m'a forcée de quitter le SAS. Je n'avais pas d'ordinateur pour écrire à mes amis, juste Élixir qui gazouillait mon nom. Je ne pouvais même pas mettre le moindre bout de mon nez dehors!

Puis un jour, alors que j'étais chez elle, elle a fait un gros mouvement!

Oups! Il faut que j'arrête d'écrire! On m'appelle! Je dois y aller! Dans ce nouvel endroit étrange où je suis tombée, on se lève super tôt, et il faut toujours travailler à quelque chose!

Mais ce n'est pas un pensionnat, non. Quelque chose de super mieux!

C'est un cirque! Un vrai cirque! Je suis maintenant dans un cirque qui se promène de ville en ville, comme dans les films, avec un gros chapiteau bleu et jaune! Et je suis une VRAIE artiste de cirque ambulant! Wow!

Je continuerai d'écrire mon histoire plus tard!

10 h 28 — C'est la pause qu'ils ont dit! Cinq minutes pour écrire!

Bon! J'ai quelques minutes pour gribouiller mon journal. Et pour respirer un peu! J'ai dû brosser les chevaux. Bien oui, il y a trois chevaux ici, dans ce cirque où je suis. Ça, j'avoue, c'est quand même génial! Je n'avais jamais vu ça de près, moi, des chevaux. C'est gros! Gros sabots, grosses dents!

Mais avant de parler chevaux, il vaut mieux que j'écrive ce qui m'est arrivé. Parce que je pourrai peut-être trouver une occasion pour poster mon journal à mes amis du SAS. Pour qu'ils sachent ce qui m'arrive.

J'aimerais qu'ils sachent ce qui m'arrive... Et surtout, où je suis!

Ben oui, un jour, un beau jour plein de soleil, à Montréal, chez moi, gros mouvement chez madame Doulce. Elle m'a juste annoncé, comme ça : « Aujourd'hui, tu pars! »

Je n'ai rien répondu! J'avais décidé de ne jamais ouvrir la bouche chez elle. Pour protester. Protester contre ce qu'on m'avait fait. Je ne lui ai pas demandé où je partais. En fait, pendant toute cette semaine-là où elle m'a gardée enfermée chez elle, je n'ai ouvert la bouche qu'une fois par jour, pour dire toujours, exactement, les mêmes mots : « Je veux aller voir maman. »

Tous les jours : « Je veux aller voir maman. » Et chaque fois, c'est madame Doulce qui n'ouvrait plus la bouche. Elle n'a jamais répondu.

Je n'ai pas vu maman avant de partir dans mon grand voyage. Je n'ai jamais vu maman à l'hôpital où ils l'ont envoyée loin de moi. Et maintenant, je suis au bout du monde et je ne sais même pas comment va maman. Le soir, quand je m'endors, je pense à maman et je la vois qui va beaucoup mieux. Même qu'elle chante ! Et, dans ma tête, pour me consoler, je lui écris une chanson.

12 h 47 — J'ai fini mon dîner vite !
Encore quelques minutes pour écrire
avant de retourner au travail !
C'est incroyable tout ce qu'on doit faire en une seule journée dans un cirque ambulant. Ça fait 3 jours que je suis ici et j'ai déjà appris à brosser et à nourrir des chevaux, à monter un chapiteau, à brosser l'arène du cirque et beaucoup d'autres choses !

Jamais je n'oublierai la dernière journée passée avec madame Doulce. Jamais de toute ma vie !

Le matin, elle m'a fait préparer mes bagages. Ensuite, elle a appelé un taxi, et nous sommes montées dans le taxi. C'est drôle à dire, mais c'était la première fois que je faisais un tour en taxi. On a traversé toute la ville de Montréal. MA VILLE. Je l'ai vue en entier. J'ai vu s'éloigner le port et mes gros bateaux, j'ai vu au loin la montagne, là où habitait monsieur Dex dans sa grosse et si belle maison. On a traversé des tas de champs et d'usines, comme dans mon quartier. Sauf que ce n'était plus mon quartier. Et puis, on est arrivées... On est arrivées !

Là, j'ai mis un certain temps à comprendre. J'ai bien regardé ! Mais, même si je n'arrivais pas à le croire, il n'y avait aucun doute possible ! Où est-ce qu'il y a des avions qui partent et atterrissent chaque minute ? Bien oui, j'étais à un aéroport !

Moi, à un aéroport ! Mais j'allais où, comme ça ?

J'ai ramassé mon sac dans le taxi, j'ai attrapé la cage de mon Élixir et j'ai suivi madame Doulce à l'intérieur de l'aéroport.

Il y avait tant et tant de monde ! Des files de voyageurs, des voyageurs qui couraient, étaient couchés, se parlaient fort ou chuchotaient, pleuraient, se tenaient par la main, s'embrassaient, riaient. Ils avaient des chapeaux de paille, des turbans, des voiles, des chapeaux chics, des casquettes de baseball, des casques de vélo... Et moi, moi, j'avais ma cage !

Madame Doulce m'a prise par la main parce que mes pieds étaient paralysés. Il y avait trop de choses à regarder! Il faut savoir... Quand on n'a jamais mis les pieds dans un aéroport, on ne peut pas savoir comment est le vrai monde! Le vrai, celui de la grosse planète! Là, je découvrais plein de choses inconnues. J'aurais aimé que Filis soit là. Filis, c'est devenu mon grand ami!

Et puis, il faut bien le dire, être dans un aéroport, c'est déjà être en voyage. Et moi... et moi, je n'étais pas très sûre de vouloir aller en voyage. Même que j'étais certaine que je ne voulais pas quitter ma ville, mes amis, le SAS et maman.

Mais madame Doulce m'a entraînée avec elle. Jusqu'à un comptoir où...

Bon! Les revoilà qui m'appellent! Je te quitte mon journal! Qu'est-ce que je dois aller faire encore? Jamais moyen d'écrire en paix dans un cirque ambulant!

18 h 22 — J'espère qu'on va manger bientôt! J'ai le ventre en apesanteur tellement il est vide!
Il fallait que j'aille retirer le filet de sécurité! Le filet pour les trapézistes. Ils vivent dangereusement ici! Sans filet, Rom, mon ancien entraîneur, l'aurait dit, c'est trop dangereux! En tout cas, pour l'instant, ce n'est pas moi qui suis en haut, à me balancer sans rien en dessous pour me rattraper si je tombe!

Où étais-je rendue dans mon récit de ce qui s'est passé? Ah oui! À l'aéroport, le jour de mon départ de Montréal. Madame Doulce a parlé pendant une éternité avec une dame en uniforme derrière un comptoir d'une compagnie aérienne. Ils parlaient anglais, je ne comprenais pas. Mais je savais bien qu'elles parlaient de moi! Puis, la dame en uniforme a pris mon seul bagage, l'a mis sur un tapis roulant... et mon sac a disparu! Là, ça m'a fait peur et ça m'a fait mal! Je n'avais plus rien! Plus rien de ce qui compte le plus au monde pour moi!

Parce que ce que madame Doulce n'a jamais su, c'est ce que j'avais caché dans mon sac. Elle croyait que j'avais mis seulement des vête-ments... Beaucoup de vêtements. Mais la vérité, c'est que je n'ai apporté que deux paires de jeans, une jupe, deux chandails, mes si pré-cieuses bottines rouges, que Filis et mes amis m'ont offertes en cadeau et... et mon clavier! Mon clavier pour faire de la musique! Parce que moi, sans musique, je n'existe plus! Et voilà que mon clavier chéri venait de disparaître sur le tapis roulant! Pour aller où?

Mais je n'étais pas au bout de mon malheur! Parce que madame Doulce m'a regardée et elle a prononcé la phrase fatidique! La phrase qui tue!

«Élixir reste ici, Zan. Donne-moi ta cage!»

Ça, évidemment, ce n'était pas possible ! Je ne savais pas où j'allais, mais Élixir allait venir avec moi, parole de Zan !

J'ai travaillé super vite du cerveau !

« D'accord, madame Doulce, ai-je fini par laisser tomber d'une petite voix toute soumise. D'accord, je vous le laisse. Mais avant, j'aimerais aller lui redonner un peu d'eau. Pour le voyage jusque chez vous. Dans le taxi. Vous voulez bien ? Juste une minute aux toilettes ? »

La dame en uniforme a souri. Je crois que madame Doulce n'a pas voulu paraître trop méchante. Elle a peut-être eu un peu honte ? Tant mieux pour elle ! En tout cas, elle m'a donné la permission.

J'ai couru jusqu'aux toilettes avec ma cage dans les mains, et Élixir qui s'accrochait à tous les barreaux tellement j'allais vite. Pauvre Élixir !

Je ne suis restée que quatre minutes aux toilettes. Et quand je suis revenue... la cage d'Élixir était vide !

Madame Doulce a froncé les sourcils d'un air méchant.

— Où est-il ?

— Noyé, madame Doulce. Je l'ai noyé. Je ne voulais pas vous le laisser. J'ai préféré le tuer.

Les deux dames étaient horrifiées ! HORRI-FIÉES !

Tiens! la cloche de mon cirque! C'est l'heure du souper. Ça tombe bien. Je n'en peux plus tellement j'ai faim!

20 h 45 — Heureusement, le soir, ici, on ne peut pas travailler dehors! Il fait trop noir!

Je vais me faire des amis ici, dans ce cirque, j'en suis sûre. Tous les artistes de ce cirque sont des enfants. C'est un cirque d'enfants, comme au SAS. Il y en a bien quelques-uns qui doivent être gentils. Le problème, c'est la langue. Ils ne parlent pas tous une langue que je comprends. Mais j'ai parlé à Oleg. Il est trapéziste. Il a treize ans, comme moi. Il a des cheveux comme le blé, de beaux yeux bleus, avec de grands cils qui voilent son regard. Il parle très doucement, c'est comme une musique. Mais il est comme moi, il ne parle pas beaucoup. Je ne sais pas d'où il vient. Sûrement d'un autre pays, lui aussi, comme moi. Ici, nous sommes tous des rapiécés de la planète! Venus de plusieurs pays différents et cousus ensemble comme dans la drôle de courtepointe sur le lit de madame Ursule. Oh! Je m'ennuie de madame Ursule, ma voisine du dessus, chez moi!

Bon, je continue mon histoire!

La vérité, c'est que je me méfiais de madame Doulce. Et la vérité aussi, c'est que j'avais emprunté, avant de partir de mon appartement, un sac de maman. Un sac qu'elle avait quand elle n'était pas malade, quand elle pouvait encore être une vraie maman. Un petit sac en toile avec le signe *Peace and love* dessus. Maman, quand j'étais petite, l'avait toujours avec elle. Elle mettait son portefeuille, son maquillage et tous ses papiers. Alors, moi, comme souvenir d'elle, avant de partir, je l'ai vite ramassé et apporté pour qu'il me suive dans mes aventures.

Si bien que, dans les toilettes de l'aéroport, tout est allé très vite. J'ai mis Élixir dans le sac. J'ai rempli ma bouteille d'eau, j'avais déjà un gros sac de graines pour lui. Et hop ! j'ai refermé le sac. Ni vu ni connu, Élixir. Caché dans le sac !

Élixir a fait tout le voyage avec moi. Et c'était tout un voyage !!! Je n'en reviens même pas encore !!! 10 HEURES D'AVION, 4 HEURES DE TRAIN ET 2 HEURES DE VIEUX CAMION À MOITIÉ FINI ! Bien oui ! Tout ça !!!!!!!!!!!!!!

C'est comme ça que j'ai sauvé Élixir ! Et qu'il m'a suivie dans mon grand voyage !

Je ne sais pas où on est, mais ce que je sais, c'est qu'on est ensemble !

24 AOÛT

8 h 16 — Déjeuner au cirque ambulant !
Quatre jours ! Quatre jours que je suis ici, dans le cirque courtepointe de planète ! Je viens de prendre mon déjeuner. Une sorte de crêpe, mais

pas de sirop sucré pour mettre dessus. Je trouve la crêpe un peu sèche, mais bon ! Il faut ce qu'il faut. L'important, c'est quand même de se remplir le ventre, pas vrai ?

Hier, on a monté le chapiteau. Un VRAI chapiteau de cirque. Ça, j'avoue, j'en suis assez fière. Ce matin, j'ai monté la grande affiche.

CIRQUE NOMADE – Spectacle ce soir –

Cirque Nomade – La troupe Nomade, c'est le nom de mon nouveau cirque. C'est quand même plus sérieux que le Cirque courtepointe ! Nomade, ça veut dire : qui ne reste pas en place ! Qui bouge tout le temps, de ville en ville ! Un cirque ambulant, quoi !

En un sens, je ne dois pas m'énerver. Même si je ne sais pas avec qui je suis ni où je suis, c'est quand même chouette. Je suis dans un vrai cirque, et je vis comme les vrais artistes de cirque. Je dors même dans une roulotte. Une vraie roulotte. En fait, je suis en camping ! Même si la fameuse roulotte doit bien avoir 100 ans ! Elle est toute démantibulée et... bien oui, il faut que je le dise : elle est sale comme ce n'est pas permis ! Heureusement que madame Ursule n'est pas là ! Elle ferait une crise de baguettes de nerfs ! Elle aurait les baguettes tout en l'air !

En camping! Oui et non. En camping de travail!
Pas en camping de vacances!

— Zan, tu commences aujourd'hui.

Lui, il s'appelle Baltazar. C'est le maître du
cirque et le maître de piste aussi. Il a dans la cin-
quantaine au moins et de gros muscles. Il a dû
faire l'acrobate avant, pour avoir de si gros
muscles. Il n'est pas gentil. Et il a toujours l'air
de mauvaise humeur. En fait, il EST toujours de
mauvaise humeur. Ce n'est pas un maître de
cirque, c'est un... un dictateur! Et quand il parle,
on dirait qu'il jappe!

— Tu m'as compris, Zan?

— Oui, monsieur Baltazar. Mais je commence quoi?

Parce qu'en fait, il me semble que depuis que
je suis ici, je n'ai jamais arrêté de travailler!

— On m'a dit que tu savais faire du trapèze?

— Je suis meilleure aux soies. Là-bas, au
SAS...

— Oublie là-bas. Là-bas n'existe plus pour
toi.

Petit pincement au cœur!

— Ici, tu commenceras au trapèze volant avec
Oleg. Et je verrai pour les soies.

— Au trapèze volant? Je ne sais pas ce que
c'est.

— Idiote! C'est le numéro à deux trapèzes.
À deux trapézistes.

Il fronce encore plus les sourcils, comme si c'était possible dans son cas.

— On m'avait pourtant dit que tu connaissais bien le cirque.

— Qui vous a dit ça? Qui vous a parlé de moi? Vous connaissez quelqu'un au SAS?

C'est vrai ça! Je suis à 10 heures d'avion de chez moi! Comment est-ce que ce monsieur Baltazar peut bien me connaître?

— Pas de tes affaires! qu'il me jappe.

Qu'est-ce qu'on peut répondre à ça! Des fois, les adultes!…

— On m'a dit aussi que tu étais une petite fouineuse. Je te préviens. Ici, tu travailles avec les autres, tu fais les spectacles, tu manges et tu dors. C'est tout. Je ne tolère aucun ennui. Compris?

— Compris! Mais je voudrais quand même savoir? Où est-ce que je suis? Comment s'appelle la ville là-bas? Dans quel pays est-ce que je suis?

Il a ri! Il a tellement ri! Il est parti, il riait encore!

Méchant! Il riait de moi!

13 h 56 — Dans le chapiteau.

— Zan, le trapèze, c'est un peu comme les soies! Tu dois mettre de l'arcanson sur tes mains pour avoir une meilleure prise. Sinon, tu vas glisser jusqu'en bas, m'explique Oleg, le gentil joli trapéziste.

— Excuse-moi, Oleg! Je suis... je suis un peu perturbée... Je ne comprends pas ce qui m'arrive... où je suis... Tu le sais, toi? Et qu'est-ce que je fais ici?...

Il plisse ses beaux yeux bleus. Il a mis un bandeau sur ses cheveux pour qu'ils ne lui tombent pas sur les yeux pendant la pratique de trapèze.

— Oleg! Réponds-moi!

— Non... non... je ne sais pas exactement où l'on est! Mais...

— Cessez de parler, tous les deux! crie Baltazar. Et pratiquez! Allez monter dans vos trapèzes.

— Mais... mais c'est haut!

Les trapèzes vont jusqu'en haut du chapiteau. C'est beaucoup plus haut qu'au SAS.

— Et puis, monsieur Baltazar, il faudrait remettre le filet de sécurité! Je pourrais tomber de là-haut!

Il rit! Il rit encore! L'animal!

— Ici, dans ce cirque, on ne met jamais de filet! Il faudra que tu t'y fasses! Les spectateurs viennent vous voir pour le danger! Au cas où vous tomberiez! Alors, pas de filet!

Et il part en riant! Je regarde Oleg. Lui, il ne rit pas.

— Pas de filet? Mais il est fou?

— Allez, viens! me répond Oleg. Il vaut mieux monter. Sinon, Baltazar pourrait devenir méchant. Il faut être prêts pour le spectacle de ce soir.

— Ce soir! Mais t'es fou! Je ne saurai jamais le faire à temps! En une journée, apprendre le trapèze volant? IMPOSSIBLE!

— Il le faudra bien pourtant! Tu es ma partenaire de ce soir.

Sur quelle planète de fous est-ce que je suis tombée?

20 h 15 — Quinze minutes avant le fameux spectacle!

Bien! Oui... Oleg avait raison! Je fais partie du spectacle ce soir! Et je vais tomber, c'est sûr! En plus qu'à force de pratiquer toute la journée, j'ai les mains et les épaules comme des spaghettis mous! Plus de force, Zan!

Bon. Ça ne va pas bien!

Le chapiteau est plein de gens! Le spectacle commence dans 15 minutes, et je dois faire un numéro de trapèze avec Oleg. SANS FILET! Je vais mourir!

— N'aie pas peur, Zan! me dit un vieil homme qui fait partie du cirque. Tout ira bien. Je t'ai observée aujourd'hui. Tu as du talent. Tout ce que tu as à faire, c'est de te concentrer de toutes tes forces et de ne jamais lâcher le trapèze quand tu le tiens!

Je l'avais observé, moi aussi, ce vieil homme-là, celui qui me parle. Un très, très vieux monsieur.

Avec une barbe blanche et un œil aveugle. Il parle tout bas, très lentement. Il s'occupe de tout ici, et beaucoup des chevaux. C'est la première fois qu'il me parle. En fait, il est plutôt solitaire. C'est le seul, avec Baltazar, qui a une roulotte juste à lui. Mais je l'aime quand même, ce vieux monsieur, parce que je l'ai vu jouer du violon. Il était magique! Tout transformé! On aurait dit que même son œil aveugle redevenait brillant!

— J'ai peur, monsieur. Je ne suis pas assez habile pour voltiger sans filet.

— Tout ira bien. Je te le promets, qu'il me dit d'une voix douce.

TADAM! Roulement de tambour!

Le spectacle commence. C'est drôle. Il y a juste un tambour pour nous accompagner. Drôle tout de même que, dans un vrai cirque, il n'y ait pas de vraie musique.

20 h 48 — Pendant le spectacle.

Mon numéro est dans 12 minutes. Je suis morte de peur. Il a eu beau dire de me concentrer, le vieux monsieur, je n'y arrive pas. Et j'ai de plus en plus peur à mesure que je regarde le spectacle!

Parce que personne n'a de filet ici! Le funambule, qui danse à une hauteur vertigineuse sur un fil de fer, les acrobates qui grimpent aux barres et se jettent en bas pour atterrir les uns sur les autres… sans filet! Et le numéro des chevaux! Deux très, très petites filles, debout sur des chevaux qui courent à pleine vitesse en rond dans l'arène. Si elles tombent, elles se font piétiner par les bêtes, c'est sûr! C'est super dangereux. On dirait que tout est fait dans ce cirque pour qu'on se fasse mal. Sinon pire! Et, pour finir, il n'y a pas un artiste au-dessus de 13 ou 14 ans! Juste des enfants! Bizarre de cirque!

21 h

Oh non! NON! C'est à mon tour! Au secours! Il faut que j'y aille! Baltazar me fait de grands signes méchants!

Journal de Zan, écrit par Jo.

Je m'appelle Jo. Cette nouvelle fille, Zan, vient de commencer son numéro. Je ne la connais pas encore. Elle a laissé tomber son journal, et je pense qu'elle serait contente si je décrivais son numéro pour elle dans son journal. Alors, c'est ce que je vais faire!

Il est 21 h 1. Elle grimpe au câble pour monter jusqu'au trapèze. Oleg monte de l'autre côté pour rejoindre le deuxième trapèze. Je ne sais pas comment cette fille va pouvoir réussir. Je l'ai vue cet après-midi. Elle n'est pas très habile encore aux trapèzes volants. On voit qu'elle ne s'est jamais vraiment lancée d'un trapèze à l'autre. Pourvu qu'Oleg ne l'échappe pas. Sinon… je ne sais pas.

Voilà, elle est partie. Elle se balance, de plus en plus fort. Sa figure est toute blanche. Mauvais signe ça. Elle est trop nerveuse. Oleg, de son côté, va bien. Il est plus habitué. Il vient de réussir un salto et s'est rattrapé de justesse. Zan se balance fort, mais, à mon avis, pas assez. Oleg est sur l'autre trapèze. Il l'attend. Il faut qu'elle saute ! Il faut vraiment qu'elle saute !

— Zan !

C'est Baltazar qui vient de crier, de la piste. Il n'est pas content, Baltazar, qu'elle ne saute pas. Elle n'ose pas, j'en suis sûr ! Elle a trop peur !

— Zan !

Cette fois, Baltazar vient de rugir comme un lion ! Il n'est vraiment pas content ! Oh la voilà ! Elle est partie ! Elle est au-dessus du vide. Pourvu qu'Oleg réussisse à l'attraper ! Parce qu'elle n'avait pas assez de force quand elle a lâché le trapèze. Oui ! Il l'a ! Juste d'une main, mais il l'a attrapée !

D'accord ! Tout va bien ! Ils font des figures ensemble sur le trapèze. Ils sont quand même beaux à voir.

C'est bientôt le moment le plus dangereux. Oleg va la laisser avec un gros élan pour qu'elle retourne à son trapèze ! Il prend son élan. Zan a la figure encore plus blanche qu'avant. Elle n'est pas prête, j'en suis sûr et... Oh ! Oleg l'a laissée ! Elle est entre les deux trapèzes. Elle... elle a raté le trapèze ! Elle tombe ! Elle est tombée ! Il faut que je coure sur la piste ! Elle doit s'être fait mal !

22 h 45 — Dans ma roulotte !
Dans mon lit ! Enfin !

Le vieux monsieur. C'est le vieux monsieur qui m'a rattrapée quand je suis tombée. Heureusement ! Sinon, je me cassais le cou ! Mais il ne m'a pas bien rattrapée. On a tous les deux frappé le sol dur, dur. Je suis tombée de trop haut. Tellement haut ! Le vieux monsieur s'est fait mal au bras. Et moi à la tête. J'ai la tête qui me fait mal.

Baltazar est juste venu me voir par terre, dans les bras du vieux monsieur.

— Est-ce qu'elle saigne ?

— Non, a répondu le vieux monsieur après m'avoir regardée.

— Et vous, Bach ?

— Non.

— Alors, sortez de la piste ! Allez ! Sortez !

Tous les spectateurs avaient le souffle coupé et nous regardaient pour voir si on allait se relever ! Le vieux monsieur n'a pas osé dire qu'il avait eu le bras tordu. Mais moi, je l'ai bien vu après, qu'il grimaçait de douleur !

— Mesdames et messieurs ! a continué Baltazar. **C'est ce que vous vouliez voir ! Eh bien, vous avez VU ! Le danger ! Et la peur dans les yeux des acrobates ! Voilà le vrai cirque ! Et ce n'est pas fini ! Le spectacle continue !**

La grosse voix de Baltazar qui parlait aux spectateurs. C'est tout ce que j'ai entendu pendant que ce garçon, Jo, celui qui a été assez gentil pour écrire dans mon journal, m'a ramenée à la roulotte.

Je suis toute seule maintenant. Le spectacle continue. J'entends les roulements de tambour. Pourvu que personne ne tombe encore.

Est-ce qu'ils sont malades ici ? Ma vie était en danger ! Sans blague !

Je suis si loin... si loin de chez moi... si loin de mes amis... Je voudrais tellement... Je ne suis pas bien ici... j'ai eu trop peur !

Je ne veux pas rester ici. Je n'aime pas ce pays... je n'aime pas monsieur Baltazar... je n'aime pas ce cirque... Je veux rentrer chez moi... je veux rentrer chez moi... Je veux voir mes amis du SAS...

25 AOÛT

— Comment allez-vous, mademoiselle, ce matin ?

J'ouvre les yeux. Le vieux monsieur. Je me frotte les yeux. C'est mouillé. La vérité, c'est que j'ai pleuré cette nuit. Je crois même que j'ai pleuré en dormant.

— Ne bougez pas votre tête trop vite, mademoiselle. Elle est sûrement encore douloureuse.

Je la bouge doucement. J'ai des éclairs qui transpercent mon crâne. Je sens encore une larme couler sans que je sois capable de la retenir. Je suis gênée.

— Vous pouvez pleurer, mademoiselle. Mais tout va bien.

Puis il ajoute :

— Je m'appelle Bach.

— Comme le musicien ?

— Oui. Comme le grand musicien !

— Je sais jouer du Bach. Au clavier. Là-bas d'où je viens...

— Ne parlez plus de là d'où vous venez, mademoiselle. Vous n'y retournerez pas. Oubliez d'où vous venez. Vous allez encore pleurer, et ça ne servira à rien.

— Mais je veux y retourner ! Chez moi !

Et voilà que je remets ça, côté larmes. Le vieux monsieur Bach regarde ailleurs, un peu triste.

— Venez manger, mademoiselle, finit-il par dire gentiment. Vous vous sentirez mieux. Comment vous appelez-vous ?

— Zan. Je m'appelle Zan.

— Prenez ma main, petite Zan, et suivez-moi.

10 h 45 — J'ai encore le crâne en mille miettes.

— J'ai eu terriblement peur pour toi hier soir, Zan. Je suis désolé de t'avoir échappée du trapèze.

Oleg et moi sommes assis dans le champ, juste à côté du chapiteau. Un très beau champ,

avec des rangées d'herbes dorées. Ça ne ressemble vraiment pas à l'affreux terrain vague
en arrière de la vieille usine du SAS! Mais,
bizarre, je m'ennuie quand même du terrain
vague! C'est beau ici, mais... mais ce n'est pas
chez moi! Je trouve même que mon terrain
vague est plus beau que ces champs-là! Heureusement, je suis avec Oleg. Je sens qu'il va
devenir un ami.

Notre travail maintenant, à Oleg et moi, c'est
de faire brouter les trois chevaux. Pour l'instant,
les chevaux ont trouvé un petit étang et ils
sont tranquilles. Moi, je me débats avec une
petite abeille qui s'obstine à vouloir butiner mon
nez! Peut-être parce qu'il est rouge! C'est vrai,
quoi, j'ai un peu pleuré! Mais personne n'a
vu!

— Ce n'est pas ta faute, Oleg, si j'ai raté le
trapèze. Mais ce Baltazar, tout ce qu'il a fait,
c'est rire.

— Je sais. Ce n'est pas quelqu'un de bien.

— D'où viens-tu, Oleg?

— Je viens de Russie. De la campagne russe.
Ma famille était très pauvre. On avait juste un
bout de jardin. Pas assez pour mes frères et
sœurs. Un jour, le Cirque Nomade est passé
dans mon village. J'avais 9 ans. Mes parents...
mes parents m'ont fait engager par le cirque.

— À 9 ans!

— Tu sais, on était très pauvres. Et puis, c'est intéressant, le cirque. Malgré tout. J'adore être acrobate et trapéziste. C'est vrai que le Cirque Nomade est un... un peu... dur...

— Dur ! Tu es fou ! C'est malade !

— Peut-être. Mais je n'ai pas ailleurs où aller. Alors, ici, c'est parfait pour moi. Ça me fait une maison. Allez, viens. Rentrons. Il vaut mieux pratiquer encore notre numéro. Parce que ce soir... Ce soir, on le recommence !

Je le regarde avec des yeux ronds comme les plus grosses billes du monde !

— Recommencer ! Moi ! Jamais !

— Il le faudra bien pourtant ! Tu n'as pas le choix !

Moi ! Ne pas avoir le choix ! C'est ce qu'on va voir !

15 h 35 — Pause de l'après-midi.

— Monsieur Bach !

— Oui, petite Zan ?

— Monsieur Bach, Baltazar veut que je remonte pour le spectacle de ce soir. Mais je ne peux pas ! Et je ne le VEUX pas !

Il me regarde. De son œil unique, le seul qui voit. Il a l'air très doux, monsieur Bach.

— Tu n'as pas le choix, ma petite Zan. Mais cette fois, tu verras. Tout ira bien. Tu seras mieux concentrée.

— Monsieur Bach! (Je le supplie.) Faites quelque chose! Parlez à Baltazar! J'ai peur de remonter là-haut sans filet!

Il baisse la tête.

— Je sais... Il faudrait un filet. Mais...

Il ne continue pas sa phrase. Il change plutôt de sujet.

— Mais Zan, je serai près de toi, comme hier soir. Tu n'as rien à craindre. Je serai là s'il t'arrive quelque chose!

— Monsieur Bach!

Je le supplie encore.

— Je ne peux pas t'aider, ma petite Zan. Là-dessus, je ne peux pas t'aider. Je ne peux vous aider qu'autrement.

— Qui ça, vous?

Il laisse flotter son regard sur la piste.

— Vous, les enfants. Tous les enfants qui sont ici.

— Et comment pouvez-vous nous aider? Nous aider, ça signifie nous protéger! Nous protéger de ce fou qui s'appelle Baltazar!

— Je vous protège, Zan. À ma manière, je vous protège. Va t'entraîner. C'est la meilleure chose à faire. Et ne crains rien pour ce soir.

18 h 45

Souper! Souper qu'ils disent! Pommes de terre et jus de bœuf! Depuis que je suis ici, ce sont des pommes de terre tous les jours! Je commence même à m'ennuyer de mes fameux concombres !

— Jo, c'est bien ça ton nom ?

— Oui.

— Merci pour le journal. C'était gentil de décrire mon numéro de trapèze dans mon journal. Moi, j'avais tellement peur que je ne me souviens plus exactement de ce qui m'est arrivé !

— Pourquoi écris-tu ton journal ?

— Parce qu'un jour, je veux pouvoir le montrer à mes amis, chez moi. Pour qu'ils connaissent mes aventures. Parce qu'un jour, je veux rentrer chez moi...

Il ne dit rien. Est-ce qu'il a un chez-lui ?

— Tu sais, lui dis-je pour changer de sujet, tu es génial sur ton unicycle !

— Le plus dur, c'est de jongler en même temps ! Baltazar exige que je jongle avec 10 quilles ! Et malheur à moi si j'en échappe une !

— Je n'aime pas ce cirque ! Pourquoi nous obliger à faire des choses impossibles ?

— Ce n'est pas si mal ici, tu sais...

— Tu dis ça, mais tu n'y crois pas...

— J'aime mieux penser à autre chose. Puisque je suis coincé ici, il vaut mieux être content...

Content ! Moi, je ne suis pas contente. C'est dangereux. Et puis, on n'a jamais deux minutes pour respirer un peu. Il y a toujours du travail.

Je regarde les autres artistes enfants. Les petites jumelles qui font les acrobaties équestres. Elles ont... elles n'ont pas plus de 6 ans. Elles sont si mignonnes avec leurs petites tresses blondes ! De beaux grands yeux tristes.

Des yeux tristes ? Ou noyés de peur ? Je me le demande...

20 h — Spectacle encore !

Le chapiteau est plein comme tous les soirs. Je ne connais pas le nom de la ville où nous sommes, mais c'est quand même une assez grosse ville ! Parce que, depuis 4 soirs, on remplit les gradins au complet.

— Oleg.

— Quoi ?

— Tu as vu les spectateurs ?

— Bien sûr. C'est plein.

— Oui. Mais Oleg, tu as remarqué quelque chose de bizarre ?

— Bizarre ? Non. Pas vraiment.

— Oleg ! Regarde ! Il n'y a aucun enfant dans les gradins ! Que des adultes !

— Et alors ?

— Et alors, ce n'est pas normal. On fait du cirque ! Il devrait y avoir beaucoup d'enfants !

Oleg hausse les épaules.

— C'est peut-être parce qu'on n'a pas de clown. Les enfants aiment les clowns !

Tiens ! C'est vrai ça. Je ne l'avais pas remarqué. Il n'y a pas de clown dans le spectacle.

En fait, à bien y penser, il n'y a que des numéros dangereux. Des numéros dangereux exécutés par des enfants. Et sans filet !

Bizarre !

C'est un cirque extrême ou quoi ?

22 h 45 — Dans ma roulotte.

Le spectacle est fini !

Ouf ! Tout s'est bien passé ! Pas de blessures graves ! Mais que les numéros sont dangereux ! Jo, avec son unicycle et ses quilles de jonglerie, a même dû s'exécuter sur un fil de fer qui montait ! Et sans harnais, sans filet ! Et quand il est tombé du fil, et que son unicycle est retombé sur lui, il a crié de douleur. Et là, il s'est passé une chose étrange : les spectateurs ont crié de joie ! Au lieu de s'inquiéter pour Jo, les spectateurs adultes étaient contents ! Ils l'ont applaudi PARCE QU'IL ÉTAIT TOMBÉ !

Je ne comprends plus rien ! Est-ce parce que je suis de l'autre côté de la planète que les spectateurs réagissent avec l'autre côté de leur cœur et de leur tête ? Est-ce qu'ils sont à l'envers de nous ? Parce que chez nous, ils applaudissent quand on réussit un beau numéro ! Pas quand on le rate et qu'on tombe !

Moi, en tout cas, je ne me suis pas laissé faire ce soir ! Je n'ai pas prévenu Baltazar ni Oleg, mais j'ai refusé de lâcher mon trapèze ! Je n'ai pas volé jusqu'à Oleg. Et comme ça, je me suis sauvée de la chute!

22 h 54 — À la roulotte!

Baltazar est venu me voir. Il était noir de rage!

— Au prochain spectacle, tu sautes ou ça ira très mal pour toi! Très mal!

Je n'ai pas répondu.

On verra bien ce qu'on verra!

23 h 1 — Toujours à la roulotte!

On prend vite des habitudes, au cirque! Moi, dans notre roulotte, je suis devenue comme une petite maman. Parce que je suis la plus vieille fille. Alors, je m'occupe des petites jumelles et de Jo, qui a 10 ans.

La roulotte est toute petite. M-i-n-u-s-c-u-l-e! Minuscule frigo, minuscule placard, minuscule table et minuscules couchettes.

Les petites jumelles dorment en haut, au-dessus de moi. Oleg dort à l'autre bout, près du frigo. Jo, l'unicycliste-funambule, dort... la tête presque dans la toute petite toilette!

La première chose que j'ai vérifiée en emménageant dans notre roulotte, c'est qu'on avait bien l'électricité. On l'a!

Alors, ce soir, dans quelques minutes, je vais tous leur faire une surprise! Parce qu'ils le méritent bien. Moi y compris. On a les nerfs si excités quand on fait ces numéros de fou extrêmes!

23 h pile ! pile ! pile !

L'heure du dodo. Les pauvres petites jumelles sont épuisées. Je les ai mises au lit. On est tous usés par la grosse journée. Fatigués. Heureusement, demain, on a une journée de relâche. On pourra dormir plus tard.

Donc, maintenant, à 11 h pile, alors que le moral dans la roulotte est assez près du au-dessous de zéro, je sors ma surprise !

Parce que je m'ennuie de la petite Sofi, qui est sûrement en train de s'amuser au SAS, j'ai choisi la flûte.

Et, dans notre roulotte, tout à coup, tout doucement, je leur joue… « Dodo l'enfant do » à la flûte !

J'ai sorti mon synthétiseur ! Ma belle machine à musique !

Moi, j'ai décidé que, ce soir, ce serait la fête !

26 AOÛT

9 h 35

Ce matin, après la fête, je n'ai pas de brume dans le cerveau. Je sais exactement ce que je dois faire. Et ce que je dois faire, c'est réussir à aller dans cette ville, que je vois là-bas au bout des champs cultivés, et à trouver un ordinateur. Quelque chose comme un café Internet.

Parce que ce qui est devenu limpide dans ma tête cette nuit, c'est que je retournais chez moi ! Et au SAS ! Mais pour ça, je dois d'abord découvrir où je suis, dans quel pays, et, ensuite, comment retourner chez moi ! Ce n'est pas évident ! Mais je trouverai bien une solution ! EN TOUT CAS, JE NE RESTE PAS AU CIRQUE NOMADE ! NON !

C'est comme ça ! J'aime le cirque, mais pas le cirque qui tue. Et, si je reste ici, c'est évident, je vais finir par me casser la tête en tombant en bas des trapèzes ! Pas question !

10 h 4

— Aujourd'hui, on fait relâche ! a dit Baltazar. Vous faites ce que vous voulez ! MAIS VOUS RESTEZ PRÈS DU CHAPITEAU ! Que je ne vous perde pas de vue !

Tu parles ! Avec le plan dans ma tête, je ne peux pas rester près du chapiteau ! La ville, là-bas, est au moins à deux kilomètres à travers champs !

Mais comment je fais ? Comment je fais pour rejoindre la ville en marchant à travers des champs aussi nus que... aussi nus qu'une tête de lune rasée ! Baltazar va me voir, c'est sûr !

Bon ! Mais comment je fais alors ?

12 h 22

Comment je fais ? C'est simple ! Je me sers de Baltazar ! J'ai réussi à me cacher sous la bâche de son vieux camion. Et il n'a rien vu ! Et le voilà qui part pour la ville, tout heureux ! Sans se douter qu'il m'amène avec lui ! L'idiot ! Je t'ai bien eu mon vieux !

Pouah ! Par exemple, il y a un truc ! Ça sent mauvais sous cette bâche !

Bon. J'ai qu'à me pincer le nez ! Je fais semblant que je nage dans un lac en retenant mon souffle. Au bout de quelques minutes, j'imagine que je suis un poisson au milieu des poissons ! Ça passe le temps !

Bon, voilà le Baltazar qui s'arrête. J'entends la porte qui claque. Je soulève un peu la bâche, mets mon nez — mon pauvre nez ! — dehors.

Des maisons partout ! Je suis en ville !

J'ai réussi !

Yesssssss !

13 h 45 — Dans la ville inconnue.

Elle n'est pas bien grosse, la ville ! Un gros village ! Il n'y a qu'une seule rue, avec des magasins. Les autres rues n'ont que des maisons de trois étages. Jolies. Des maisons comme je n'en ai jamais vu. Très étroites, très vieilles et encore plus croches que la mienne. On dirait que je suis au Moyen Âge ! Avec les chevaliers !

Le plus dérangeant, c'est que je ne comprends pas ce qui est écrit sur les affiches et les magasins. Il y a des « k » et des « y » et des « w » partout ! Compliqué ça, pour connaître le nom de cette ville! Et pour ce qui est de demander! Rien à faire! Je ne comprends pas un seul mot de ce que les gens racontent! Une autre planète, je vous dis!

Bon. Ce n'est pas tout ça! J'ai deux missions : un, trouver le nom de cette ville. Et deux, trouver un ordinateur branché à Internet.

Et trois : ne pas me faire repérer par Baltazar! Parce que dans ce gros village, c'est tout vu, je risque de tomber sur lui au premier coin de rue! Et ça, je n'aimerais pas voir sa réaction!

Heureusement, dans toutes les villes du monde, c'est pareil. Personne ne remarque jamais un enfant. Les enfants sont invisibles aux grandes personnes. Sauf quand on fait des mauvais coups! Mais moi, en ce moment, je ne suis pas en train de faire un mauvais coup! Je suis en train de me débrouiller! Ce n'est pas pareil!

Oups! Un petit coup au cœur en passant dans une rue bordée de maisons! Il y a des géraniums à toutes les fenêtres. Je pense à madame Ursule et à monsieur Paige. Je crois que pour eux, ici, ce serait leur idée du paradis sur terre!

Bon, mais je continue! Ah! Je l'avais perdue, mais je retrouve enfin la rue des magasins. Il y a deux cafés avec des terrasses dehors. Je m'approche doucement. C'est bien ce que j'avais deviné. Baltazar est assis à une table, entouré de messieurs. Qu'est-ce qu'ils font?

Pour le savoir, je me cache derrière une madame gros volume qui porte une jupe avec des grosses fleurs rouges et bleues. Je la suis en me cachant dans les plis de sa jupe ! Pratique ! Les gens regardent les grosses fleurs de la jupe, pas moi accrochée derrière ! En passant devant le café, j'ai juste le temps de voir Baltazar. Il... Qu'est-ce qui se passe ? On dirait qu'il reçoit de l'argent des messieurs qui l'entourent ! Il a une grosse liasse de billets dans sa main, qu'il met vite dans sa poche.

Trop tard ! Je n'ai pas eu le temps de voir plus ! La grosse madame a tourné le coin ! Dommage ! Il faut que je lâche sa belle jupe à fleurs !

Mais j'ai eu le temps d'avoir une idée ! Le café-restaurant ! Il y en a un deuxième, aussi gros, à l'autre bout de la rue. Et, souvent, c'est dans les cafés qu'il y a des ordinateurs ! Et ici, dans ce drôle de pays ?

Bien oui !

Ici, aussi, dans ce pays tout à l'envers, il y a des ordinateurs dans les cafés ! Et il y a du monde aussi ! Plein de monde ! C'est super bruyant ! Les hommes et les dames rient, parlent fort, chantent même !! Ils boivent des verres, de gros verres pleins de liquide jaune avec de la mousse qui déborde. Tiens, c'est peut-être de la bière. Je ne savais pas que la bière existait en dehors de mon pays. Je ne sais pas pourquoi, ça me réchauffe le cœur. On dirait que ça me rapproche de chez moi !

37

Et ce qui est plus bizarre, c'est que les gens dans cette ville rient, chantent et ont l'air super gentils. Ils n'ont pas l'air à l'envers comme les spectateurs qui viennent voir notre cirque le soir! Ceux qui applaudissent les chutes au lieu des réussites! Mais pourquoi est-ce que les gens que je vois ici, dans ce café, ceux qui rient et qui chantent, ne viennent pas voir notre spectacle? Pourquoi est-ce seulement ceux qui ont le cœur et la tête à l'envers qui viennent? Mystère!

Mystère et grosse question! Mais je n'ai pas de réponse! Bon. Je suis mieux de continuer mon plan sans perdre du temps à chercher des réponses.

Les ordinateurs? Où sont-ils dans ce restaurant?

Au fond de la salle, comme dans ma propre rue des magasins, chez moi! Génial!

Oui, mais... mais il y a un problème! Je ne sais toujours pas comment il s'appelle ce village! Mais pour demander à quelqu'un! Il faudrait d'abord que je parle leur langue!

Bon, je reste là, plantée... plantée... plantée... *Yessss*. L'idée...

C'est encore pareil à chez nous. Je commence même à me demander pourquoi je m'énerve tant d'être loin de chez moi! Parce qu'il y a des ordinateurs, et aussi, c'est sûr, il y a des menus! Dans les restaurants, il y a toujours des menus, peu importe le côté de la planète où on est! Et sur les menus, forcément, il y a toujours l'adresse des restaurants ! Je pique un menu, vite fait, je regarde et je vois !...

Oh là là ! Je vois... Je suis mieux de recopier lettre par lettre le nom de cette ville, parce que je ne suis pas capable de prononcer ce mot-là !

J'ouvre ma page perso code secret Planète, commence à retaper le nom du village Wyawyasky dans *Troouve* pris dans *PlanèteTroouve*. Rien ! Je vérifie mille fois toutes les lettres. Toujours rien ! Problème ! Je réfléchis !

Idiote Zan ! Ce village est si petit qu'il ne peut pas être dans *PlanèteTroouve* ! Il faudrait que je découvre le nom d'une plus grosse ville, tout près. Mais comment ? Je ne sais toujours pas la langue du pays, moi !

Je regarde mon menu avec consternation ! C'était une bonne idée ! Mais les bonnes idées quand elles ne fonctionnent pas... ça ne sert à rien ! En tout cas, il y a de belles photos sur ce menu. Des photos de... des photos de... Tiens ! Ça me donne une autre idée ! Ces photos, elles représentent toutes des monuments, des statues, de vieilles choses très jolies... et des personnes peut-être célèbres ? Peut-être que si j'essayais de passer par *Troouve* en tapant le nom d'un monument, je pourrais retrouver le nom d'une grande ville ?

Je m'essaie avec un joli édifice tout en pierre, près d'une rivière. Je tape, lettre par lettre : *Vijec-nica*. Ouf !

39

Eh bien oui ! J'ai une réponse sur *Troouve* ! Je lis. Bibliothèque nationale bosniaque, située à Sarajevo ! Située à Sarajevo ! Ben voilà ! Je l'ai ma grande ville !

Bon, mais où est Sarajevo ? Il faut que je regarde sur *PlanèteTroouve*. On me tape sur l'épaule. Je me retourne. La madame à fleurs est là, derrière moi. Avec un sourire, mais tout de même un sourire qui a l'air de dire : « Moi aussi, je veux cet ordi, jeune fille. » Il faut que je me dépêche ! Et je veux absolument écrire à Filis. Qu'est-ce que je fais ? C'est long, des fois, *PlanèteTroouve* ! Bon ! Pas le choix ! Je suis trop pressée !

ZAN@TOUS

Vous ne croirez jamais ce qui m'est arrivé ! Mais je vous expliquerai plus tard. Je suis en voyage, je ne sais pas où ! Voici la ville où je suis : Sarajevo 🖱 ! Pouvez-vous trouver dans quel pays je suis ? Sur *PlanèteTroouve* ! Mettez la carte, avec la punaise, sur ma page perso ! J'irai voir dès que je peux !
À plus tard ! ☺

Voilà ! Ils vont travailler pour moi ! Et quand je retrouverai un ordinateur, je saurai où je suis !

Bon, le plus important à mon cœur maintenant !

Filis! Mon Filis!

Je m'arrête une seconde. J'ai comme un brouillard devant les yeux! C'est venu tout d'un coup! Zut! Une larme! Je suis vraiment nulle! Allez, ma vieille, continue!

Filis! Tu ne croirais pas ce qui m'est arrivé! J'ai fait 10 heures d'avion! Et puis en train!!! Bon, je ne peux pas tout te raconter! C'est trop long! Mais aide-moi! Tu as sûrement reçu aussi mon message pour trouver où je suis.

Oups! Une tape sur l'épaule! La dame à la jupe aux grosses fleurs attend toujours ma place à l'ordinateur! Elle rit en me parlant. Et moi, c'est sûr, je ne comprends pas un mot de ce qu'elle me dit! Mais c'est assez clair, même si elle reste patiente et gentille. Elle veut l'ordi! Elle me passe les mains dans mes cheveux et ça, peu importe où on est sur la planète, je sais que c'est gentil! Moi aussi, je vais être gentille avec elle. J'écrirai la suite à Filis plus tard. Je termine juste vite mon message avec ce que j'ai de plus important à lui dire : ☺ ☺ ☺
Je voulais rajouter assez de bonshommes sourire pour qu'ils fassent une route jusque chez moi, mais ... mais je n'ai plus le temps. Et puis,

ça inquiéterait Filis. Il croirait que je m'ennuie et que je me sens un peu désespérée. C'est vrai, et pas juste un peu. Mais je ne suis pas obligée de le lui faire savoir. Il serait malheureux pour rien, malheureux de ne pas pouvoir m'aider. Je ferme ma page perso, je me lève... et je lance à la plate-bande de grosses fleurs mon plus beau sourire en m'évacuant discrètement pour lui laisser l'ordinateur !

Mais où je m'évacue ? Ça, ce n'est pas clair ! Ou plutôt, c'est assez sombre ! Parce que la nuit est tombée ! Toutes les jolies maisons ont leurs fenêtres allumées. Je m'approche d'une fenêtre. Les parents et deux petits enfants sont autour d'une table ronde. La maman sert le souper... des pommes de terre ! Décidément ! C'est le pays de la patate !

Bon. Même si je ne l'aime pas, il faut bien que je retourne au Cirque Nomade ! Parce que j'ai faim et que mon ventre gargouille, il fait même toute une symphonie !! Je suis même prête à y mettre des pommes de terre !

J'essaie de retrouver le camion de Baltazar !!

Oups ! Il est parti, le camion ! Le camion n'est plus là ! Et Baltazar n'est plus à la terrasse du café ! Il a déjà dû partir pour retourner au cirque ! Bien sûr, il ne savait pas que j'étais en ville aussi ! Et que j'avais besoin de lui pour rentrer !

Bon.

Si je regarde les choses bien en face, je suis toute seule, dans une ville inconnue, qui parle une langue inconnue et qui écrit ses noms de rues juste avec de «z» et des «y» et des «w»! Moi qui voulais de nouvelles aventures! Mais là, c'est un peu trop, ça m'inquiète un peu!

Respire tranquillement, Zan!

C'est une bonne chose que je respire par le nez! Parce que je vais avoir besoin de beaucoup de souffle!

Parce qu'il n'y a pas d'autres moyens! Il faut que je retourne, toute seule, à travers les champs tout noirs!

Noirs, mais vraiment noirs! Il n'y a même pas de lune!

22 h 26 — Enfin, le chapiteau!

Je pensais que je n'y arriverais jamais! Je n'ai pas aimé ma traversée des champs! Je suis tombée face à face avec une... vache! Elle n'était pas méchante, la vache! Sauf que moi, qui n'ai jamais fréquenté la campagne, les vaches, connais pas! Je ne sais pas si elles sont gentilles ou pas! Je ne peux pas deviner juste à les regarder!

En fait, la vache a fait ce qu'une vache doit toujours faire, je suppose! Elle m'a juste regardée bêtement – c'est une bête après tout – et a fait meuhhhh!

Meuhhh!

Moi, je peux dire que j'ai aussitôt fait le lapin ! J'ai détalé comme un lapin, le cœur dans les talons.

Idiote ! Avoir peur d'un meuhhhh !

Je suis RIDICULE !

Note à Zan : tiens, mon prochain code secret sera Meuhhh.

22 h 45 — Au Cirque Nomade.

Le cirque est calme. Tout le monde est dans les roulottes. Mais en passant devant la roulotte de Baltazar, j'ai jeté un coup d'œil par la fenêtre.

Eh ! Bien vrai ! Il comptait toute une pile de gros billets de banque ! Je l'ai regardé faire, sans respirer. Toute une pile de billets ! Quand il a eu fini de compter, il est allé vers un gros cube noir, et il est resté penché, à genoux et concentré, pendant au moins une minute. Est-ce qu'il priait ? Ça m'étonnerait de Baltazar ! Peut-être est-ce qu'il faisait de l'exercice pour ses muscles ? Oui, ce serait plus logique !

Mais non ! Tout à coup, j'ai vu une porte s'ouvrir dans le gros cube noir !

Un coffre-fort ! Baltazar a un coffre-fort plein de billets !

22 h 58 — Enfin, dans ma roulotte !

— Zan ! Tu es malade ! Disparaître comme ça ! Tu aurais pu me prévenir ! me dit Oleg dès que je me pointe le nez dans la roulotte.

44

— Désolée, Oleg!, j'avais à faire en ville! Est-ce que Baltazar m'a cherchée?

— Oui… Évidemment qu'il t'a cherchée! Mais rassure-toi! Il t'a trouvée!

— Comment ça, il m'a trouvée? Je n'étais pas ici!

Et c'est là que j'ai compris que j'avais des amis! De VRAIS amis! Même ici!

Oleg, Jo et même les petites jumelles m'ont fait un grand sourire! Ils m'ont montré mon petit lit. Comme ça, sans un mot!

Il y avait quelqu'un dans mon lit, caché sous les couvertures! Je voyais bien la forme de quelqu'un qui dort! J'ai rabattu les couvertures et j'ai trouvé… mon synthétiseur! Mon synthétiseur! Mes amis ont caché mon absence en couvrant mon synthétiseur comme si je dormais là, cachée sous mes couvertures!

— On a dit à Baltazar que tu dormais! Il n'a rien deviné!

0 h 22 — Toujours dans la roulotte.

Tout le monde dort. J'ai joué de la musique pour mes amis, surtout pour les petites jumelles. Elles avaient un grand sourire, avec toutes les deux, un trou au milieu. Il leur manque une dent toutes les deux. La même dent, le même trou, à la même place! Ça fait curieux quand on les regarde ensemble! Comme si on voyait double!

27 AOÛT

6 h 24

— Dlinggggg!

La cloche! La foutue cloche! Je croyais qu'on pourrait dormir ce matin! Quelle heure est-il?

6 h 24 du matin! Mais c'est en pleine nuit ça!

7 h 22

Je ne veux pas l'admettre, mais c'est joli ici. Les champs, les fameux champs que j'ai traversés hier soir, sont comme des vagues jaunes. Comment j'ai pu avoir peur hier soir, dans ces beaux champs-là? Je ne me l'explique pas! Il fallait vraiment que je ne sois pas trop courageuse.

Je peux même apercevoir mes vaches, MA vache! Je n'ai jamais vu rien ni personne d'aussi paisible! Vraiment rien d'un monstre, sauf la grosseur!

Bon! L'épisode de la peur de Zan devant une vache, je ne vais vraiment pas le raconter à personne! J'aurais l'air d'une... je ne trouve pas le mot! C'est mieux comme ça!

Je fais mieux d'oublier tout ça et d'aller manger ma fameuse crêpe du matin! En plus, Oleg m'a dit ce que c'était, cette crêpe! C'est une crêpe aux pommes de terre!

Évidemment!

— Il y aura un spectacle ce soir!, nous dit Baltazar.

Oh non! Je ne vais pas remonter dans les trapèzes!

— Un spectacle privé! Seulement pour quelques spectateurs!

Tiens, c'est curieux ça!

— Le seul numéro qu'on présentera est celui des jumelles. Les jumelles et leurs chevaux! Zan, tu brosseras et décoreras les chevaux! Oleg, tu viens avec moi! Nous allons montrer un nouveau tour aux jumelles! Pour ce soir!

Montrer un nouveau tour pour le présenter ce soir! Mais ça n'a pas de sens! Elles n'auront jamais le temps de bien l'apprendre et de le pratiquer pour ce soir!

10 h 24 — Dans l'écurie.

— Zan!

— Oui, monsieur Baltazar!

— On m'a dit que tu faisais de la musique!

Oups! Est-ce qu'il aurait découvert le truc du synthétiseur caché dans mon lit?

— Ouuui... je fais de la musique...

— On m'a dit que tu composais de la musique et des chansons!

— Qui ça « on »? Qui vous a dit ça? Qui vous a parlé de moi?

Et puis, je me mords les lèvres. Je n'aurais pas dû parler. Mais c'est vrai, quand même ! Personne, ici, ne sait ce que je fais. Alors, comment a-t-il su ? À qui a-t-il parlé ?

— Tu oses encore poser des questions Zan ?

— Nooon... non, monsieur Baltazar !

— Je veux que tu nous fasses de la musique pour le spectacle ! De la musique dramatique !

— Dramatique ?

— Oui. Pour bien montrer que les numéros sont dangereux. Je veux que les spectateurs aient peur !

Il n'y a pas que les spectateurs qui ont peur ! Moi aussi ! Mais là, je parviens à fermer mon clapet à paroles !

— C'est que... c'est que, monsieur Baltazar, la musique que j'écris est plutôt joyeuse ! C'est un cirque après tout. Il faut rendre les enfants heureux, non ?

Et le voilà qui repart à rire ! Il m'énerve ! Il m'énerve !

— Dans mon cirque, on ne rit pas. On a peur !

Et il tourne les talons. Il revient, l'air en colère.

— Et puis, refais cette tresse au cheval, Zan ! Elle n'est pas jolie ! Tu peux faire mieux que ça !

Et il me laisse plantée là avec la tresse dans les mains.

Moi, j'ai les cheveux plutôt courts. Je ne me suis jamais fait de tresses. Alors, en faire une à un cheval, ce n'est pas mon plus grand talent ! Je regarde le cheval, sa crinière !

— Bien mon vieux ! Pourquoi ne lui as-tu pas dit que tu n'en voulais pas, de tresses ?

Le cheval me regarde, montre ses grandes dents ! Ma foi, il rit de moi lui aussi !

12 h 24 — Au moins, il y a le dîner !

— Oleg, on dirait que les jumelles ont pleuré !

Je chuchote en mangeant

— Elles ont pleuré, Zan.

— Pourquoi ?

— Parce que ce que veut Baltazar est très difficile. Trop difficile pour elles.

— Elles vont y arriver pour ce soir ? Pour leur numéro ?

Oleg ne répond pas.

Je regarde les deux petites jumelles. Elles sont toutes blanches, avec le visage barbouillé. Barbouillé de larmes et de saleté.

Elles ont juste 6 ans !

17 h 32

Je fais des tresses aux jumelles, dans notre roulotte. Je fais les mêmes tresses que celles que j'ai faites aux chevaux. Bizarre !

49

Elles n'ont pas l'air fortes, les jumelles ! Je les débarbouille un peu ! Il faudrait que je les fasse sourire aussi !

— Moi Zan ! Et toi ?

— Oana...

Une toute petite voix de clochette.

— Et toi ? je fais à la deuxième.

— Iulia...

Bon. C'est un début. Sauf que, comme elles sont pareilles, dès qu'elles ont bougé, je ne sais plus qui est Oana et qui est Iulia !

20 h 35 — Le bizarroïde spectacle avec un seul numéro ! Pauvres jumelles !

Il y a seulement une dizaine de personnes sous le chapiteau. Tous des hommes... pas d'enfants ! Étrange ! Mystère !

Nous, on s'est cachés dans les coulisses. Oleg est nerveux, mais, l'animal, il ne veut pas me dire pourquoi !

Baltazar s'avance au milieu de la piste ! Il annonce le numéro ! Et je comprends seulement Iulia et Oana. Baltazar roule le tambour !

Voilà mes deux mignonnes ! À fond de train sur les chevaux. Elles ont du mal à se tenir telle- ment les chevaux vont vite. Et en tournant en rond, pour faire plus difficile ! Je n'ai jamais vu les chevaux aussi énervés et fringants ! On dirait qu'ils ont une aiguille dans le... Enfin, là où on le pense tous !

Les jumelles se lèvent tout de même sur leurs chevaux. L'une des deux n'ose pas lâcher la crinière pour ne pas tomber ! Baltazar donne un coup de fouet au cheval, qui repart à toute vapeur. Elle lâche la crinière ! Elle va tomber ! C'est sûr, elle va tomber, la jumelle !

Et tout à coup, une des deux se lance vers le deuxième cheval ! Elle s'accroche à la crinière, monte sur le dos de sa sœur, se met debout sur les épaules de sa sœur ! Elle ne se tient même pas ! Et elle est debout ! Sans se tenir, sans harnais de sécurité ! C'est complètement malade ! Toute nue de protection et debout sur les épaules de sa petite sœur ! Le deuxième cheval passe à côté d'elles. Et hop ! Les jumelles sautent et traversent sur la deuxième bête, qui galope comme une folle !

Mais c'est terrible ! Terrible !

Baltazar donne un coup de fouet. Le cheval rue ! Et les jumelles sont projetées par terre au milieu des chevaux en furie !

Je me précipite avec les autres ! Au milieu des chevaux devenus fous. Les jumelles sont à terre et ne bougent plus. Je me lance sur un des chevaux, m'accroche à sa crinière. Il me traîne sur son côté. Je n'arrive pas à monter dessus. Mais il faut que je l'arrête ! Il va me tuer aussi ! Et il va piétiner les jumelles !

Juste du coin de l'œil, je vois Oleg et Jo qui font la même chose que moi ! Ils essaient d'enfourcher le cheval pour le calmer !

Au même moment, Baltazar, qui s'est remis à rire, donne un autre coup de fouet. Mon cheval part à l'épouvante, rue en levant ses deux pattes avant! Je m'accroche aux deux tresses que j'ai faites ce matin. Je m'accroche tellement que j'ai les doigts engourdis. Je vais mourir, c'est sûr!

— Doux! Doux! Doux!

Pourvu que Baltazar se tienne tranquille, une petite seconde! On dirait qu'il veut nous tuer! Pourvu que!

— Doux! Doux!

C'est la seule chose que je trouve à dire, parce que je l'ai vu dans les films d'époque. Je ne sais pas parler aux chevaux, moi!

Mon cheval hennit! Une fois! Une autre fois… et se met au trot! Enfin…

— Doux, que je lui répète sans arrêt.

Le cheval se met au pas. Je tire sur ses tresses et réussis à l'arrêter complètement.

Je regarde autour de moi. Oleg et Jo ont aussi arrêté leur cheval. Les jumelles sont par terre et ne bougent pas. Baltazar est sur le bord de la piste, près des spectateurs.

Et là, là, la même chose étrange se produit. Les spectateurs se mettent à crier, tout joyeux!

Tout joyeux!

Ils viennent d'assister à un accident et ils sont tout joyeux! Comme l'autre soir avec Jo!

Cette fois, c'est trop!

Je me dresse sur mon cheval. Toute droite. Tout en colère !

Une colère gigantesque !

Mes yeux leur lancent des éclairs !

Ce sont des monstres !

Baltazar, ces spectateurs-là, ce sont des monstres !

TOUS DES MONSTRES !

21 h 4 — Les spectateurs sont sortis du chapiteau, suivis par Baltazar !

— Oleg, je chuchote, occupe-toi des jumelles. Ramène-les à la roulotte ! Moi, j'ai quelque chose à faire.

— Où vas-tu, Zan ? Viens plutôt avec moi ! Viens soigner les jumelles !

— Non, Oleg. Il y a quelque chose qui ne va pas ici. Et je veux savoir quoi.

— Zan !

Mais je suis déjà sortie du chapiteau. C'est vrai qu'il y a quelque chose qui ne va pas ! Là-bas, à la ville des « ywx », enfin pas « ywx », mais Sarajevo, j'ai vu des gens très gentils ! Et ici, au cirque, il n'y a que des monstres ! Je veux savoir ce qui se passe !

Je me coule derrière les gros câbles qui tendent la toile du chapiteau pour me cacher. Les hommes suivent Baltazar. Ils s'arrêtent tous près de sa roulotte. Baltazar rentre seul. Il faut que je voie ce qu'il farfouille. Il FAUT que je comprenne ce qu'ils font!

Je m'approche. L'un des hommes lève la tête, me regarde en riant. Je vais t'en faire, moi, de rire de moi! Je me redresse, ne fais semblant de rien... et je passe derrière la roulotte. Je m'approche de la fenêtre. Baltazar a ouvert son coffre-fort. Il prend de l'argent. Puis, il ressort.

Zut! Il faut que je retourne de l'autre côté si je veux savoir ce qu'il fait! Mais ils vont tous me voir!

Tant pis! Ma colère est encore tellement terrible que je vais résister à tous les ennemis, même les pires.

Je mets mes mains dans mes poches, tourne le coin de la roulotte. Vrai! J'essaie quand même de rester dans le noir, cachée. Ce n'est pas nécessaire de faire exprès pour me faire voir.

Mais moi, je les vois bien. Je vois Baltazar qui leur remet, à chacun d'entre eux, de l'argent. Ils ont l'air encore plus content! Pourtant, ce sont eux, les clients, qui auraient dû payer Baltazar pour assister au spectacle! Pas le contraire! Et ce n'était pas qu'un spectacle! C'était un danger de mort pour des jumelles de 6 ans!

Tout est à l'envers ici!

Je ne comprends pas!... Je ne comprends pas...

Clang!

Zut! Je me suis accroché les pieds dans un truc de métal!

Baltazar lève les yeux. Il me voit, fronce les sourcils, il a l'air en colère et commence à marcher vers moi.

— Excusez-moi, monsieur Baltazar! Je cherchais... je cherchais un truc de métal pour faire une cage à mon oiseau!

— Ton oiseau? Quel oiseau?

Il est de plus en plus fâché.

— Oui. Élixir. Venez le voir. Il est dans la roulotte!

Est-ce qu'il me croit? Aïe! Il prend du temps avant de répondre! Ce n'est pas bon signe!

— Eh! Baltazar!

C'est un des spectateurs qui l'appelle! Baltazar hésite, puis se décide à retourner le voir.

— Retourne dans ta roulotte! Et que je ne te vois plus traîner! me dit-il avant d'aller parler au spectateur.

Ouf!

La dernière chose que j'ai vue en marchant vers ma roulotte, c'est Baltazar qui donnait de l'argent au spectateur.

Je serre les poings!

Tous des monstres!

o h 22 — Dans ma roulotte.

Baltazar n'est pas venu ici! Tant mieux pour LUI! Je lui aurais fait manger ses sourcils tout noirs!

Nous avons mis les jumelles au lit. Plus de peur que de mal! Mais quand même!

Même moi, je suis secouée! Je n'étais jamais montée sur un cheval! Et voilà que j'ai fait comme l'héroïne dans «Le Seigneur des Anneaux», sur son grand cheval blanc! Sauf que l'héroïne, l'actrice, elle devait avoir des cascadeurs, un harnais et tout ce genre de trucs pour qu'elle ne se fasse pas mal pour vrai! Et moi — et les jumelles! —, on avait juste deux tresses! Elles n'étaient pas solides, en plus, les tresses! Je le sais parce que c'est quand même moi qui les ai faites!

Monsieur Bach est venu voir les jumelles. Il tremblait, le vieux monsieur Bach. Il était bouleversé, je le voyais bien. Je ne le comprends pas, monsieur Bach. Il est inquiet pour nous... mais il ne fait rien! Il s'occupe de ses chevaux, bricole ici et là! Il me semble qu'il pourrait bien nous aider!

Tout ce qu'il est arrivé à faire, c'est hocher la tête et répéter: «Si seulement je pouvais... si seulement je pouvais...»

Ce n'est pas très clair!

Bon! Je n'ai pas de réponse maintenant à toutes ces bizarreries! Alors, rien ne sert de se creuser la tête! Quand il y a un mur d'obstacles trop haut... bien, il vaut mieux faire le détour du mur, je suppose!

Un peu sérieuse, cette pensée-là! Ne commencerait-elle pas à devenir trop sérieuse, Zan? Ce n'est pas bon signe, ça!

Je suis mieux de jouer un peu de musique!

Je joue! Et je réussis à endormir tout mon petit monde! J'ai joué et chanté la chanson du papillon. Une chanson que j'ai écrite au SAS. Elle est triste et douce. J'ai réussi à calmer tout le monde!

Sauf moi!

Cela m'agace de ne pas savoir ce qui se passe ici! Et de ne pas avoir de plan pour le découvrir! Afin de réussir à nous protéger!

3 h

Peux pas dormir! Faut que je m'éclaircisse le cerveau, mon gros coffre à idées! Et pour faire ça, il n'y a pas mille façons! Il faut les écrire!

FAIT : Il n'y a pas de clowns dans ce cirque. Pas normal!

FAIT : Il n'y a que des numéros de plus en plus dangereux. Pas normal!

FAIT : Il n'y a pas d'enfants comme spectateurs. Pas normal! Un cirque est fait pour les enfants.

FAIT : Baltazar a tellement d'argent qu'il a besoin d'un coffre-fort dans sa roulotte! Il reçoit de l'argent. Et il en donne! Pourquoi? Baltazar paie les spectateurs pour qu'ils viennent nous voir? Pas normal!

FAIT : Qu'est-ce que monsieur Bach fait ici? Pourquoi dit-il qu'il nous protège alors que ce n'est pas vrai?

FAIT : Tous les artistes du cirque sont super jeunes, viennent de plusieurs pays différents et ont tous l'air, comme moi, de ne pas avoir de vraie famille. Par exemple, d'où viennent les jumelles? Où sont leurs parents?

FAIT : Et finalement, la plus grande question de toutes les questions qui concerne moi, moi, moi : Baltazar connaît des tas de choses sur moi, comme le fait que je pose des questions et que je fais de la musique. Mais c'est impossible qu'il me connaisse! J'habite de l'autre côté de la planète!

Je regarde ma jolie liste. Je comprends encore moins qu'avant que je l'écrive! Pas génial!

Peut-être que 3 h, ce n'est pas une bonne heure pour essayer de comprendre la vie!

Au dodo!

28 AOÛT

6 h

Aïe! Six heures du matin!

J'ai dormi 3 heures!

Et on déménage!

Il faut défaire le chapiteau! Tout emballer! Tout emballer! Misère!

**7 h 20 — Déjà fini de déjeuner!
À cette heure-ci!**

Il y avait du sirop sucré sur ma crêpe ce matin! C'était bon! C'est un cadeau de monsieur Bach! Je l'ai regardé faire. Il a fait fondre de la cassonade dans l'eau qui chauffe sur le petit poêle, il rajoute du beurre... et le sucre se transforme en sirop! Délicieux et super facile! C'est un truc que je ferai à mes amis en rentrant! Ils vont être étonnés. Parce que moi et la cuisine... en général... c'est un vrai massacre!

C'est bizarre, le Cirque Nomade! Je n'arrive pas à me décider! Des fois, comme ce matin, tout est magnifique, et on est heureux. Il y a un gros soleil chaud, on travaille tous ensemble... en se dépêchant, mais en s'aidant.

Et des fois, comme hier soir, tout est noir et lugubre! On dirait qu'il y a deux «Cirque Nomade»!

Et pourtant, ça pourrait être vraiment super ici! Tout le temps!

Par exemple, ce matin, nous avons défait le chapiteau. Monsieur Bach a attaché les trois chevaux aux câbles qui tiennent la tente. Et à son signal, les chevaux ont tiré... et tout s'est dégonflé! Comme un gros ballon bleu et jaune qui se dessouffle!

8 h 45

Tout un travail que d'emballer un cirque ambulant et de réussir à tout rentrer dans des camions! Et, pire encore, de décider trois chevaux à rentrer dans leur roulotte de voyage, c'est aussi difficile que de me convaincre de faire mon ménage! Monsieur Bach leur a parlé gentiment. Puis, il les a tirés. Rien à faire! Les chevaux avaient décidé qu'ils voulaient rester près de l'étang! Têtes de cochon, les chevaux! Quand ça ne veut pas écouter!

Alors, il a fallu les pousser dans leur roulotte de voyage. On s'est tous mis derrière, à la hauteur de leur queue, et on a poussé! On a poussé! Et puis, il est arrivé ce qui devait arriver! Oleg a reçu un beau... cadeau de cheval... juste sur ses bottines! On a tous pincé notre nez en grimaçant! Ça peut sentir assez mauvais, la nature!

10 h 43 — Plus rien dans le champ! Comme si on n'était jamais venus ici! Ça fait drôle!

Tous les bagages, le chapiteau, les accessoires, les trapèzes, tout est emballé dans les vieux camions! Incroyable! Moi qui répands toutes mes affaires, je n'aurais jamais pu penser qu'on pouvait ranger autant de choses dans si petit! Mais c'est ça, le monde des cirques ambulants!

Toutes les roulottes ont été attachées aux camions et... on est partis!

Pour où? Cela reste un mystère! Déjà que je n'ai pas encore appris exactement où j'étais en ce moment, je sais encore moins où je m'en vais maintenant!

Sauf une chose! Une chose que je sais... et qui est confirmée!

Je sais que je veux toujours retourner chez moi! Mais, chez moi, c'est par où?

15 h 28 — On roule, on roule dans les camions à la queue leu leu! Sur toutes sortes de routes vides! Désertes!

Des heures et des heures! Des heures qu'on roule à travers la campagne! Oleg, Jo, les jumelles et moi, entassés dans le vieux camion de Baltazar! Il n'a pas ouvert la bouche une seule fois, Baltazar! Nous non plus! Les jumelles et Oleg dorment, Jo fait des dessins, et moi... moi je regarde la campagne! Je n'avais jamais vu ça! C'est quand même joli! De petits villages qui ressemblent à des villages de poupées, des collines toutes vertes et de beaux champs jaune fluorescent! Oleg m'a dit que c'était du blé! On est passés aussi par une grande ville, je ne sais pas laquelle, où il y avait le plus joli pont en pierre, le «pont Kameni Most». 🖱 Il faudra que je regarde sur *Troouve.*

Il y a juste une chose qui me chatouille! Et plus on avance dans la campagne, plus elle me chatouille! En fait, ce n'est plus des chatouillis, c'est carrément du grattage de ciboulot! Ce à quoi je n'arrête plus de penser, c'est que plus on avale les kilomètres, plus je suis loin de chez moi! Et ça, je n'aime pas ça! J'ai le cœur qui rapetisse à chaque seconde! Je me sens loin de Filis!

16 h 34 — Toujours en route!

— Oleg, qu'est-ce qui se passe?

Cela fait 10 minutes que nous sommes arrêtés en plein milieu de la campagne, à une sorte de maison au milieu de nulle part. Il y a des soldats, des soldats en uniforme. Ils n'ont pas l'air méchant, mais moi, des soldats, je vois plutôt ça dans les films. Alors, en personne, ça me fait un peu drôle.

— Oleg! M'as-tu entendue? Qu'est-ce qui se passe? Où est-ce qu'on est?

— À une frontière.

— À une frontière?

— Oui. On traverse dans un autre pays.

— Dans un autre pays!

Aïe! Que je suis loin! Mon cœur rapetisse encore tellement qu'il n'en restera plus rien!

— Et que fait-il Baltazar, avec les soldats ?

— Ce ne sont pas des soldats, Zan, ce sont des douaniers. Ils sont chargés de garder la frontière. Et Baltazar leur montre nos passeports.

— Nos passeports ! Quels passeports ? Qu'est-ce que c'est que ça ?

Oleg me regarde avec un air complètement ahuri !

— Mais Zan, d'où viens-tu ? Tu ne sais pas ce que c'est qu'un passeport ? Mais de quel pays viens-tu ? Tu n'as jamais, jamais voyagé ?

Euhhh... non... Je n'ose pas le lui dire, mais je n'ai jamais quitté ma ville ni même mon quartier, près du port. En fait, avant, je me suis toujours promenée en triangle : ma rue, la rue des magasins et le SAS, avec les terrains vagues à côté. Un beau triangle que je connais comme ma poche !

Mais la « poche » où on est, là aujourd'hui, je ne la connais pas du tout !

— Et les passeports, Oleg, qu'est-ce que c'est ?

Il me regarde comme si j'étais une toute petite fille parfaitement innocente. Je ne suis pas trop sûre que j'aime ça ! Moi, je préfère qu'il me regarde comme une fille de son âge, qui connaît beaucoup de choses !

— Zan, un passeport est un document sur lequel il y a ta photo, ton nom et ton adresse. C'est un petit livre. Chaque fois que tu vas dans un pays, les douaniers mettent un tampon dans le petit livre et, comme ça, tout le monde peut savoir où tu es allé dans le monde. C'est génial ! Moi, je rêve d'avoir un passeport plein de tampons ! Parce que ça voudra dire que j'aurai fait le tour du monde ! Et je veux voir tous les pays du monde !

— Moi aussi, j'aimerais bien... Chez moi, il y avait de gros bateaux dans le port..., et j'ai toujours voulu y embarquer ! Mais, Oleg, moi, je n'ai pas de passeport !

— Oui. Tu en as un ! C'est obligatoire !

— Mais je t'assure...

— C'est sûrement Baltazar qui a ton passeport. C'est lui qui garde tous nos passeports. Il les garde dans sa roulotte et les montre chaque fois qu'on traverse une frontière.

Je réfléchis. J'aimerais bien voir mon passeport. Où est-ce qu'il le garde dans sa roulotte ?

— Oleg, c'est précieux un passeport ?

— C'est super précieux ! Sans ton passeport, tu ne peux jamais entrer dans un pays en sortir.

— Ça veut dire que si je voulais retourner chez moi, dans mon pays...

— Tu aurais besoin de ton passeport. Obligatoire !

— Alors, pourquoi est-ce que Baltazar ne nous donne pas nos passeports ? Après tout, c'est à nous ! Si on veut partir quelque part, il faut bien qu'on ait notre passeport !

Là, Oleg devient un peu fuyant.

— Bien, justement, Zan! Baltazar ne veut pas qu'on n'aille nulle part sans lui. Alors, même s'il n'a pas vraiment le droit, il garde tous les passeports avec lui.

— Mais il n'a pas le droit!

— Non, pas vraiment.

— Alors pourquoi ne reprends-tu pas le tien? Oleg me regarde tout surpris.

— Mais Zan, il faudrait pour le reprendre que j'aille dans sa roulotte!

— Et alors?

— Et alors? Mais je me ferais prendre! Il ne le veut pas!

— Il ne le veut pas? Et alors? Ce n'est pas une raison! Si tu le veux et que c'est à toi, tu dois aller le chercher!

Là, je suis contente. Je lui ai rivé son clou à Oleg! Je ne connais peut-être pas tout, surtout dans le monde du voyage. Mais une chose est sûre! Quand je veux, moi, je peux!

Je fais la fanfaronne pendant qu'on remonte dans les camions pour continuer la route. Mais en réalité, je suis un peu... un peu... consternée!

Déjà que je me demandais comment je pourrais bien me trouver un avion pour retourner chez moi! Si en plus, il faut d'abord que je récupère un petit livre « passeport » dans la roulotte de Baltazar!

Je commence à trouver que les difficultés pour retourner chez moi grossissent sérieusement! Ce n'est plus des collines que je dois grimper, mais une énorme montagne de problèmes! L'Everest des obstacles!!

Mais bon! Il y a deux choses de bien. La première, c'est que j'aime bien découvrir de nouveaux pays. Et là, je suis servie! Et la deuxième, c'est que je suis assez fière d'être ici, avec des amis venus de plusieurs pays, dans le Cirque Nomade! Je suis une aventurière! Et comme on voyage, je ne suis pas inquiète. Pas de spectacle, pas de danger pour nous!

0 h 24 — Je ne sais pas où on est!
Et il fait noir!
On est enfin arrêtés pour la nuit. La route était longue!

Toute notre roulotte est endormie. Comme je n'avais pas d'électricité pour brancher mon synthétiseur, monsieur Bach est venu jouer du violon pour nous endormir.

C'est un grand artiste, monsieur Bach! Il a joué du... *Bach*!... Moi, quand j'aurai l'électricité, je vais lui faire toute une surprise, avec mon clavier, à monsieur Bach!

29 AOÛT

Il pleut. On a roulé toute la journée! Je m'éloigne, je m'éloigne! Mes amis du SAS deviennent tout petits dans ma mémoire! Peut-être que je ne les reverrai jamais ! Peut-être que c'est fini, le SAS, pour moi !

Oleg a commencé à me montrer une chanson ! Il dit que c'est en roumain. C'est pour les jumelles. Elles viennent de Roumanie !

Je voudrais tellement savoir si Filis m'a répondu. Ma messagerie, c'est mon seul, mon seul et unique lien avec chez moi ! Mais je n'arrive pas à aller à un café Internet. On n'arrête jamais, on roule toujours à la campagne et on dort loin des villages.

Note à moi-même : Aujourd'hui, on a traversé une ville splendide, je ne sais pas laquelle, mais on s'est arrêtés près d'une statue, sur la place, une dame fière qui avait un oiseau sur l'épaule. Et c'est là que ça m'a fait mal ! Parce qu'Oleg m'a dit que c'était Dame Sofia. Et mon coeur s'est arrêté… arrêté de battre en pensant à Sofi, mon amie Sofi, avec sa petite ombrelle dorée. Et d'ailleurs, j'ai vu, vraiment vu, à travers mes larmes, devant moi, la belle ombrelle scintillant dans le ciel bleu, une coupole d'or qui surplombait la ville. Oleg m'a dit que c'était la « cathédrale Alexander Nevski » avec son dôme de feu et d'or qui protégeait les habitants de la ville. J'aurais voulu demander à Oleg où on était. Mais je risquais trop de pleurer. Alors, je chercherai plutôt cette cathédrale dans *Troouve*. Cette ville doit être si loin, si loin de chez moi et de Sofi !

Tiens ! Mon prochain code secret sera Larmes.

On roule toujours. Tout ce que j'arrive à faire, c'est recopier sur une feuille le nom des villes que je vois passer à travers la fenêtre. Craiova, Rimnicu Vilcea... une très grande ville aussi, bizarre, comme moderne, mais moderne à l'ancienne, du temps de maman. Il y avait un palais, le «Palais du peuple», m'a dit Oleg en lisant l'affiche... Je n'ai jamais vu quelque chose d'aussi gigantesque! Il doit y avoir des milliers de pièces là-dedans. J'aurais bien aimé être l'impératrice de ce palais! Quoique... quoiqu'il avait l'air triste, comme si une tragédie s'était passée derrière ses murs... Peut-être que le roi s'est fait assassiner?... Ou peut-être est-ce que c'est moi qui vois tout en noir?... De toute façon, je ne connais aucune de ces villes-là!

On commence à bien apprendre la chanson roumaine. Elle s'appelle *Gargariţa, -riţa*. Les jumelles rient chaque fois que j'essaie de la chanter. Je dois massacrer les mots! Oleg me les a recopiés. Mais je ne sais pas ce qu'ils veulent dire! J'aimerais bien la traduire! Je sais que je peux le faire avec *Troouve*.

Gărgăriţă, -riţă
Zboară în poieniţă
Åži unde oi zbura
Acolo mă voi mărita

Je suis un peu jalouse d'Oleg. Il connaît beaucoup de langues étrangères. Il faudra que je m'y mette aussi !

31 AOÛT

Il pleut. On roule. On donne un spectacle. On dort. Et on repart ! Et je m'éloigne.

1ᴱᴿ SEPTEMBRE

Il pleut. On roule... On donne un spectacle... Toujours la même chose ! J'ai de plus en plus peur ! Jamais je ne retournerai chez moi !

Même la pluie ne sent pas la même chose que chez moi.

Ma liste de noms de villes commence à être longue. Trop longue.

Chisinau, une autre ville..., je suis sûre maintenant que ma liste ne servira à rien. Je suis perdue.

2 SEPTEMBRE

On a traversé une autre frontière aujourd'hui. Baltazar a ressorti les passeports pour les montrer aux douaniers. Cette fois, j'ai bien regardé. J'ai bien vu les petits livres « passeports ». Je sais maintenant à quoi ils ressemblent.

Mais il y a un problème!!! Un gros problème!!! Un gigantesque problème!!!!!

J'ai surveillé Baltazar pendant qu'il rangeait les passeports dans sa roulotte. Aïe!! Il les garde dans son coffre-fort! Et son coffre-fort, il a un numéro secret! Et pour découvrir ce numéro secret, il faudrait que je sois à côté de lui! Dans sa roulotte! Mon nez à côté de son nez!!!!

Je ne suis pas sûre qu'il voudrait me laisser mettre mon nez dans ses affaires!

Autres villes, jolies... Vinnytsia... Où suis-je? Où suis-je? J'espère que mes amis auront pu me fabriquer une carte avec *Planète-Troouve*... Mais quand, QUAND est-ce que je vais pouvoir ouvrir ma page perso? Est-ce qu'il y a même des ordinateurs ici?

Je suis au bout du monde...

Le voyage est si long!

3 SEPTEMBRE

Cette fois, je crois qu'on va camper un bon moment ici! Baltazar nous a fait tout déballer!

Les chevaux sont bien installés, avec du foin et de l'eau. Les roulottes sont installées en rond autour d'un feu.

Et, surtout, je vois plus loin, à travers les champs, les lumières d'une ville. D'une assez grosse ville. Je crois qu'il y a beaucoup de clients pour un cirque comme le nôtre dans cette ville-là !

Et surtout, il doit bien y avoir, enfin, Internet dans un restaurant quelque part !

Bon, il est minuit. Baltazar nous a prévenus ! Demain, on commence l'entraînement de nouveaux numéros !

Alors, on ronfle... Je crois, à force de répéter la chanson roumaine, que je dois ronfler en roumain ! !

4 SEPTEMBRE

6 h 45

Il pleut. Il n'y a pas de sirop sucré ce matin sur ma crêpe. Tout est gris et triste. Ça ne fait rien ! Je suis occupée. Je surveille Baltazar ! Je voudrais qu'il aille à la ville... et je voudrais recommencer ma petite aventure dans son camion... cachée sous la bâche !

8 h 52

Ça y est ! Il se prépare ! Je le vois qui met des paquets dans son camion.

Moi, je fais les tresses des chevaux. Mais je continue de le surveiller. Je ne DOIS pas le manquer s'il part !

9 h 30

Je suis sous la bâche ! Et il est parti, avec moi cachée derrière.

Je suis assise sur un banc, dans une grande ville et dans un très joli petit parc! Gros arbres, petite cantine tout en pierre qui ressemble à un château miniature. Et du monde, du monde! Les enfants jouent avec de petits voiliers de bois dans une fontaine. De vieux messieurs jouent aux échecs à l'ombre des gros arbres. Et de vieilles grands-mères tricotent à côté en parlant tranquillement.

Très joli!

C'est très joli, mais je n'ai pas le cœur à sourire. Et puis, je me sens à mille kilomètres d'un accès à Internet! Pas d'ordinateur dans ce beau parc qui ressemble plus à l'ancien temps qu'à ce siècle-ci! Il n'y a rien d'électronique dans ce parc! C'est même drôle! Les enfants n'ont pas de jouets électroniques ou à piles, les grands-mères tricotent des foulards à l'ancienne, les vieux jouent en prenant tout leur temps à un simple jeu d'échecs! C'est un drôle de monde, ici... un monde... un monde tout tranquille et calme. J'aime assez ça! J'aimerais assez ça! Mais pas aujourd'hui. Aujourd'hui, tout ce que je veux, c'est avoir des nouvelles de chez moi!

Et puis, je n'ai pas toute la journée! Il ne faut pas que je manque le retour de Baltazar au cirque cette fois-ci! Parce que la marche à travers les champs... et les vaches!... Et je ne suis pas certaine de pouvoir retrouver le Cirque Nomade en pleine nuit, toute seule! C'est trop loin!

Alors, il faut que je me grouille ! Direction, rue des restaurants !

11 h 23

J'aurais dû m'apporter une crêpe de rechange. Parce qu'à voir toutes les belles terrasses au soleil, et les clients qui dévorent leurs frites, j'ai faim !

Bon, il vaut mieux ne pas regarder ! Maintenant que je connais le truc, je vise directement le fond d'un gros restaurant, en raflant un menu au passage. Je m'installe derrière un garçon pour qu'il comprenne bien que j'ai besoin de l'ordinateur, moi aussi. Je ne sais pas ce qu'il fabrique sur cet ordinateur, mais c'est long ! C'est long !!!!...

12 h 34

Enfin ! Il est parti ! Il était temps ! Je m'installe à l'ordinateur, j'entre mon code secret, Larmes.

Et ! Yess... Il y a plusieurs messages de mes amis, et aussi de Filis.

Premier message :

Loucie@Zan

Je ne comprends rien Zan ! Qu'est-ce que tu fais à Sarajevo ? C'est en Bosnie-Herzégovine ! Bien oui ! C'est comme ça que ça s'appelle ! En tout cas, si tu veux savoir où tu es, dans quel pays, regarde sur la carte *PlanèteTroouve* de ta page perso. Tu verras où tu es! J'ai mis un repère sur ta ville! Une punaise jaune!

Je regarde la carte. Je regarde la carte... je regarde la carte! Je n'arrête pas de regarder la carte! Je n'en crois pas mes yeux!

Je suis ici, en Europe! C'est si incroyable! Moi! Ici! J'appuie sur le zoom pour voir la planète de plus loin. Je vois tout le trajet que j'ai parcouru en avion depuis chez moi!

Incroyable!

Est-ce que je suis découragée?

... Euhhh... il faut que j'y pense!

Est-ce que je suis découragée?

Oui. Non. Oui. Non. Il vaut mieux ne pas être découragée. Ça ne sert à rien. Non. À bien y penser, je suis assez contente d'avoir voyagé aussi loin.

Et tout à coup, j'y repense. Mais je ne suis plus là où mes amis ont mis le repère. J'ai beaucoup voyagé depuis ce premier message! Je sors vite la liste des villes que j'ai traversées depuis une semaine. Certaines sont de grosses villes, je n'ai pas leurs noms, mais j'ai des indices. Il faudrait que je cherche, mais je n'ai pas le temps! Alors!

ZAN@TOUS
C'est génial ce que vous avez fait pour moi! Mais il faut continuer. Parce que

je suis encore plus loin maintenant. Voilà le nom de toutes les villes que j'ai traversées.

Craiova, *Rimnicu Vilcea,* *Chisinau,* *Vinnytsia.* Et puis, il y avait aussi trois grosses villes, mais je n'ai pas pu trouver leurs noms. Mais j'ai des indices! Peut-être que si vous cherchiez dans *Troouve*? Voici mes indices: un long pont en pierre, le long «pont Kameni Most», la «cathédrale Alexander Nevski», un gigantesque édifice qui s'appelle le «Palais du peuple». Pouvez-vous aussi placer toutes ces villes sur la carte *Planète-Troouve* que Loucie a mise sur ma page personnelle? Moi, je n'ai pas le temps. J'ai beaucoup de difficulté à trouver un ordinateur! Dépêchez-vous! ☺

Bon. Voilà qui est fait! J'ouvre le premier message de Filis.

FILIS@ZAN

Zan! T'es si loin! En Bosnie-Herzégovine! En Europe! Monsieur Trempe, le nouveau directeur du SAS, nous a pourtant dit que tu étais dans un pensionnat, tout près d'ici! Et tu ne sais même pas où tu es. Je ne comprends pas! Je ne comprends pas comment tu as pu aboutir à l'autre bout du monde sans qu'on le sache.

Moi non plus, Filis!

C'est dommage que tu ne sois pas à Montréal. Parce qu'ici, le SAS ne va pas bien. Pas bien du tout. Le nouveau directeur est étrange. Il se promène partout avec un gros cigare. Il nous regarde faire nos numéros. Et il parle à des gens louches. Rom, qui est toujours notre entraîneur, n'est pas très content. Il nous fait travailler, mais il est soucieux. Je crois que c'est parce que monsieur Trempe veut que nos numéros soient de plus en plus dangereux, et Rom ne veut pas. Il n'aime pas ça!

Tiens! Ça, c'est curieux! Au SAS aussi, ils deviennent un cirque de numéros dangereux, un cirque extrême. Comme au Cirque Nomade? Bizarre! Qu'est-ce qui se passe au SAS aussi?

Zan! Il faut que tu reviennes! Comment est-ce que je peux t'aider?

Oh! Mon Filis! Je ne sais pas! Je ne sais pas comment tu peux m'aider!

J'ouvre son deuxième message.

Filis@Zan
Resalut!
Je ne t'ai pas donné de nouvelles des autres! Sofi, Simon et Alexis vont bien...

enfin, un peu bien. Sofi est inquiète de son numéro. Elle n'aime pas beaucoup le trapèze. Elle a peur. Elle préfère le fil de fer. Simon a beaucoup de difficulté avec les nouvelles acrobaties que lui demande monsieur Trempe. On dirait que tout le monde commence à avoir peur, au SAS. Tu comprends ça, toi?

Quant à Alexis, il est tout découragé: monsieur Trempe ne veut plus qu'il fasse le clown! Il veut qu'il apprenne le fil de fer aussi. Alexis n'aime pas ça et il tombe toujours. Je ne sais pas pourquoi le directeur Trempe ne veut plus de clowns. Tu as déjà vu un cirque sans clown toi?

Oui, justement, Filis, j'en connais un! Le bizarre de Cirque Nomade! Mais, tout de même, je suis étonnée. Comment se fait-il que, des deux côtés de la planète, on ait les mêmes problèmes? Deux cirques qui ne font que des numéros dangereux! Et sans clown?

Je ne sais pas trop quoi répondre à Filis. Sauf que moi aussi, je connais un cirque sans clown! Mais il ne comprendrait pas! Ce serait trop long d'expliquer! Alors, je décide de lui parler d'autre chose!

Zan@Filis

Je vais te demander une drôle de chose.
Je te recopie, sur ma page perso, une
chanson en roumain *Gargariţa, -riţa.*
Oui, en roumain! Est-ce que tu peux,
avec *Troouve*, me la traduire? J'aimerais bien savoir ce que j'apprends à
chanter! ☺

Bon! Filis va travailler fort! Mais ça va l'occuper un bon moment! Avant de partir rejoindre
Baltazar, je vais juste faire une dernière recherche
sur *Troouve*, puisque j'ai enfin un ordinateur.
Une recherche sur le Cirque Nomade. Je commence à taper et je...

Je ne vais pas plus loin. Il y a une main qui me
serre l'épaule comme si elle voulait l'écraser! Je
me retourne, lève les yeux et là...

Baltazar! Il m'a retrouvée! Il vient de découvrir que je suis en ville et que je ne suis pas au
Cirque Nomade!

— Qu'est-ce que tu fais ici?

Oh! Que sa voix est mauvaise!

— Je...

— Parle!

— Je...

Moi, je ne suis pas habituée à raconter des
mensonges. Je n'aime pas ça. Mais mon petit
cerveau travaille fort. Et je me dis que là, préci-
sément maintenant, ce n'est pas un mensonge

que je dois inventer, c'est une sacrée bonne explication ! Et ça, pour les inventions et l'imagination, je suis assez douée !

— Vous m'avez demandé de faire la musique du spectacle. Mais pour la composer, j'ai besoin d'Internet. J'ai besoin d'un ordinateur pour faire ma musique.

— La musique se fait avec un instrument de musique, pas avec un ordinateur ! Comme le violon de Bach ! Tu me prends pour un imbécile ?

— Non. Non, pas du tout, monsieur Baltazar. Écoutez. Moi, j'ai un clavier ! Je peux faire tous les instruments... le violon, la flûte, la guitare, le piano, les percussions, tout... Mais pour les mettre ensemble, pour mettre tous les instruments ensemble, comme dans un orchestre, j'ai besoin d'un ordinateur ! Sans ordinateur, je ne peux rien faire... Mes boutons sont comme qui dirait... euh... virtuels ! Alors, je suis venue trouver un ordinateur ! C'est tout !

— En te sauvant du cirque sans me le dire ? Sale peste !

— Non, monsieur Baltazar... C'est-à-dire... je ne vous l'ai pas dit parce que... j'ai voulu vous faire une surprise, c'est tout ! Juste une surprise sans vous le dire !

Là, il me regarde avec un très, très drôle d'air ! Je ne suis pas très sûre qu'il me croit ! Qu'est-ce que je pourrais lui dire pour le convaincre ?

Humm... Allez, Zan! Allez, Zan... Trouve quelque chose... Je sens qu'il s'énerve! Il se renfrogne! Pas bon ça! Qu'est-ce...?

Lumière!!!!

— Monsieur Baltazar, regardez, je vais vous montrer!

Quel était déjà le nom de ce site pour les synthétiseurs? Pour faire de la musique avec les claviers! Zut! Je tape toutes sortes de choses! Rien ne fonctionne! Je sens dans mon dos que Baltazar est prêt à hurler de colère et d'impatience! Heureusement, il n'ose pas, parce qu'on est dans un restaurant. Je tape furieusement dans *Troouve* pour essayer de trouver justement. Zut! Pourquoi est-ce que j'oublie toujours les noms des sites? Claviers... non... Ah! *Clavmusique!*

Juste au moment où Baltazar va exploser, l'écran s'ouvre enfin sous nos yeux!

— Regardez! Regardez, monsieur Baltazar!

Sur l'écran, il y a le dessin d'un appareil de mixage de musique. On peut brancher toute sorte d'instruments en cliquant des cordes dans l'appareil.

— Écoutez et regardez bien!

Sur l'écran, il est affiché « musique de démonstration ». Je lui fais écouter du piano.

— Vous voyez, monsieur Baltazar? Et regardez, maintenant, je vais ajouter le violon!

J'appuie sur « jouer »!

Et la musique sort des haut-parleurs ! Violon et piano, ensemble !

— Vous me croyez maintenant, monsieur Baltazar ? Je suis venue ici pour vous préparer de la musique !

Est-ce qu'il va me croire ?

Hummm... pas sûre. Je lui refais jouer le démonstrateur de musique... juste pour le convaincre.

Et ça marche. Il se détend.

— Bon. D'accord pour cette fois ! Mais rappelle-toi ! Il est interdit de quitter le cirque sans ma permission ! Je t'interdis de partir en cachette !

— Oui, monsieur Baltazar ! Je ne le ferai plus jamais !

Baltazar, il devrait se méfier. Quand je suis trop soumise, c'est parce que je cache un plan ! Mais il n'a pas l'air de s'en douter !

Parfait !

— Bon, qu'il me dit. Maintenant, c'est l'heure de rentrer. Viens !

Et puis, tout à coup, il a un mauvais, très mauvais sourire !

— D'ailleurs, j'ai une surprise pour toi, Zan ! Une très grosse surprise !

Je ne sais pas pourquoi, je suis sûre que je n'aimerai pas sa surprise !

Je savais que je n'aimerais pas sa surprise! Il me la montre, dans le chapiteau où on est de retour.

— Tu vois, j'ai acheté des soies pour toi en ville!

— Des soies! Oh... c'est... c'est gentil, monsieur Baltazar!

Mais je ne suis pas trop sûre que c'est vraiment gentil! Comme on dit, je me méfie!

— Oui, Zan. Tu aimes les soies! Eh bien, tu vas faire des soies! Demain, on les suspendra au toit du chapiteau!

— Au toit du chapiteau!

Et je lève les yeux en haut... si haut! Beaucoup trop haut! Juste grimper jusque-là, je vais m'arracher les épaules et les mains!

— Et... euh... monsieur Baltazar! Vous avez aussi acheté des filets de sécurité? Parce que si je tombe de là-haut!

Aïe! J'aime mieux ne même pas y penser!

Mais lui, il se remet à rire. De son foutu rire que je déteste tant!

— Un filet de sécurité, Zan? Et pourquoi pas un harnais de sécurité aussi?

— Bien oui! C'est une bonne idée, que je fais avec une voix faible. Je ne sais pas pourquoi, mais je devine déjà la réponse qu'il va me donner!

— Depuis quand, au Cirque Nomade, il y a des filets et des harnais ? Ici, tous les numéros sont sans filet, tu le sais bien !

Et il recommence à rire !

Eh oui ! J'avais bien deviné que ce serait cette réponse-là qu'il me donnerait ! Cette terrible, terrible, terrible réponse-là !

23 h 25 — Dans nos couchettes de la roulotte.

— Oleg ! Tu dors ? je chuchote.

— Humm…

Zut !

— Oleg !!!

— Hummmm…

Zut !

Dans le fond, aussi bien qu'il dorme ! Je lui aurais dit quoi ? Que j'ai peur et que je suis triste ? Il vaut mieux ne pas le dire !

Je prends Élixir dans mon cou pour me tenir au chaud, je ferme les yeux et je pense fort à maman. À Filis. À mes amis. À chez moi.

5 SEPTEMBRE

7 h 22

— N'OUBLIEZ PAS, crie Baltazar, IL Y A UN SPECTACLE CE SOIR ! AVEC TOUS LES NUMÉ-ROS ! PRATIQUE OBLIGATOIRE POUR TOUT LE MONDE SANS AUCUN ARRÊT DE TOUTE LA JOURNÉE ! Zan, pour le spectacle de ce soir, je veux que tu exécutes la figure de l'ange, au sommet des soies !

Heureusement que je n'ai pas eu le temps de manger une crêpe ce matin. Elle me serait remontée dans la gorge !

— C'est-à-dire que... monsieur Baltazar... je... j'ai vu quelqu'un le faire..., mais moi, je ne l'ai jamais fait, l'ange ! Et puis, l'ange, et la chute qui suit, fait de si haut ! C'est fou !

— Tu as jusqu'à ce soir pour l'apprendre. Je viendrai vérifier cet après-midi que tu travailles bien !

Et il part !

Je sens que ce sera une journée difficile ! Pas une belle journée !

9 h 24 — Dans le chapiteau — Toute seule.
Je n'ai pas pu me décider encore à monter jusqu'en haut des soies ! Je me suis arrêtée au milieu.

Pour faire semblant que je travaille, je décris dans mon journal la figure de l'ange :

1- Sépare les tissus.
2- Fais trois tours vers l'intérieur, sur chaque jambe.
3- Fais un salto avant entre les deux tissus et garde les jambes tendues.
4- Passe tes bras en avant du tissu et tiens les bouts qui pendent, bouge-les pour commencer à voler.

5- Pour décrocher, fais un salto arrière et déplie
   tes jambes.

9 h 45 — J'ai réussi à monter — Un peu !

Je manque de tomber à chaque salto, avant et
arrière. J'ai les mains toutes moites de peur.
C'est tellement bas en bas ! Et je ne suis qu'à la
moitié de la hauteur des soies !

Je redescends. Je vais au moins mettre de l'arcanson sur mes mains. L'arcanson, c'est comme
un petit cristal brun et transparent. Quand on en
met sur les mains, on a une meilleure prise. Ça
glisse moins ! Et c'est aussi de l'arcanson qu'on
met sur les cordes de l'archet d'un violon avant
d'en jouer. Sinon, il n'y a aucun son qui sort des
cordes lorsque l'archet glisse dessus. Mais je n'ai
pas d'arcanson avec moi.

Je regarde autour de moi, dans l'arène du
cirque. Oleg s'apprête à monter sur ses trapèzes.
Sans aucun filet. Jo essaie de faire grimper son
unicycle sur le fil de fer. Sans filet. Et les jumelles
tournent sur leurs chevaux, dont monsieur Bach
tient la bride. Elles sont debout ! Et en essayant
de ne pas se tenir ! Et sans harnais. Et pire ! Je
n'ai pas eu le temps de faire leurs tresses ce
matin. Alors, elles ont les cheveux dans les yeux.
Elles ne voient pas bien !

— Iulia ! Oana ! Venez me voir ! que je leur crie.
Monsieur Bach ! Arrêtez leurs chevaux un instant.
S'il vous plaît ! Je vais faire leurs tresses !

Monsieur Bach arrête les chevaux, aide les jumelles à descendre.

— Oui, il vaut mieux faire les tresses. Sinon, c'est dangereux, dit monsieur Bach.

— De toute façon, que je lui réponds en commençant à tresser, ce qu'on fait est tellement dangereux! Regardez Oleg! Regardez Jo! Sans filet! Des histoires pour qu'ils se cassent le cou!

Il ne répond rien, le monsieur Bach, et je ne suis pas très contente! Il ne veut pas nous aider! Parler à Baltazar ou faire quelque chose! Je serre les dents. S'il ne nous aide pas, je n'aurai pas le choix! Il faudra bien que j'exécute ce que me demande Baltazar, les fameuses figures aux soies! Bon. Au moins, essayons de nous donner le plus de chance possible!

— Monsieur Bach, j'ai besoin d'arcanson! Pour mieux grimper. Vous en avez, pour votre violon?

— Bien sûr! Je vais t'en chercher tout de suite!

10 h 30 — Toujours dans le chapiteau —
Le moral est à zéro.
Monsieur Bach est revenu avec l'arcanson. Et je me suis remise à grimper. Mais je n'arrive quand même pas à le faire jusqu'en haut! J'ai trop peur, sans filet!

Je suis suspendue au milieu des soies. Je regarde autour de moi. Oleg reste assis sur son trapèze. Jo est descendu de son unicycle. Et les jumelles se contentent de trotter en rond sur leurs chevaux, bien assises.

On est tous désespérés !

Et voilà Baltazar qui arrive !

Il va sûrement faire une scène !

Non !

Non. Il ne fait pas une scène. Il se contente, d'un air méchant, de claquer son fouet sur le sable de l'arène. Les chevaux partent au grand galop ! Jo et Oleg regrimpent sur leurs perchoirs en toute vitesse ! Et moi, pour la première fois, je grimpe de peur jusqu'en haut... jusqu'au toit du chapiteau ! Et je ne regarde pas en bas !

Il est vraiment méchant, Baltazar !

10 h 48 — Dans le chapiteau.

Baltazar est reparti. Et c'est monsieur Bach qui a trouvé la solution pour nous aider ! Il s'est mis à jouer du violon ! Une musique de son pays, je pense.

Il est arrivé à nous calmer ! On se pratique..., mais ce n'est pas du cirque... pas du vrai... c'est de l'esclavage sous la peur !

14 h 45 — Dans le chapiteau.

Le spectacle est dans quelques heures seulement ! Mais, grâce à monsieur Bach et à son violon qu'il n'a pas arrêté de jouer de tout l'après-midi, je me sens un peu mieux. J'arrive à me concentrer sur mes saltos et à oublier que je suis si haut.

Même que, juste là, en essayant de réussir l'ange..., je me sens... sur le dessus du monde! Comme un vrai ange!

Si je pouvais seulement être un vrai ange, je pourrais réussir le dernier salto qui me fait si peur!

Si je pouvais seulement être un vrai ange, je pourrais m'envoler, par-dessus le monde, jusque dans mon joli petit appartement, chez moi, avec maman et Élixir!

Élixir! Comment fais-tu pour voler, bel oiseau, sans jamais tomber? Aide-moi! Je t'en supplie, aide-moi!

Suspendue à mes soies, je ferme les yeux très fort. Très très fort. Juste les notes de violon dans ma tête. Je veux être Élixir. Je veux être Élixir! Si j'étais mon oiseau, je réussirais certainement le dernier salto qui me fait si peur!

Je m'agrippe de toutes mes forces aux soies. Mes doigts en deviennent engourdis. Si je ne fais pas le salto bientôt, pour me décrocher, je sais que mes doigts vont lâcher et que je vais tomber!

Pense à Élixir, Zan! Pense à Élixir! Concentre-toi! Et lâche les soies! Lâche-les avant que tes doigts ne lâchent!

Mes doigts lâchent!

16 h 45 — Dans le chapiteau.

Je suis assise à côté de mes soies. J'ai réussi mon salto tout à l'heure. Mais je n'ai pas voulu remonter !

Je ne veux plus remonter. Plus JAMAIS !

Qu'est-ce que je vais faire ce soir ?

Où est-ce que je peux me sauver ? Me sauver de Baltazar ?

19 h 45 — Dans les coulisses.

Je n'ai rien à écrire d'autres sinon que le spectacle commence dans 15 minutes. Et que je ne veux pas remonter là-haut ! J'AI DIT : JAMAIS !

19 h 54 — Dans les coulisses.

C'est comme chaque soir, dans les gradins, chez les spectateurs. Pas d'enfants dans le public. Oleg, les autres et moi, on attend. Les deux petites jumelles pleurent un peu et, de temps en temps, j'essuie leurs larmes. Pour être sûre qu'elles voient bien, pendant leur numéro. Jo tient son unicycle si fort que ses doigts sont tout blancs, et Oleg... Oleg, c'est son visage qui est tout blanc.

Et pas de musique ce soir, pour nous aider. Pas de violon ! Juste l'affreux roulement de tambour de Baltazar et ses coups de fouet sur le sable.

19 h 59

Je ne veux plus lâcher mon journal. Comme si d'écrire pouvait éloigner le spectacle comme un mauvais cauchemar! M'éviter de faire mon numéro! Devant tous ces gens qui vont rire si je tombe! Rire surtout si je me casse la tête devant eux!

Je viens même de m'inventer un nouveau code secret, Montréal, comme si c'était une formule magique pour me rapprocher du SAS et de mes amis. Mais ce n'est pas magique! Ici, rien n'est magique.

Monsieur Bach m'a donné un morceau d'arcanson... pour mes mains. Je n'arrête pas de le frotter, comme si c'était du cristal magique. Mais ce cristal, il n'est pas magique! Il va juste m'aider à mieux me tenir avant de tomber! Parce que je sais que je vais tomber!

Je le sais... je... Qu'est-ce qui pourrait m'aider? Qu'est-ce qui pourrait m'aider? Qu'est-ce...?

J'ai une idée!

Je cours en dehors du chapiteau! Je cours juste au moment où Baltazar fait rouler son tambour!

Le spectacle commence! Les jumelles entrent en piste! Pourvu que tout aille bien! Pourvu que tout aille bien!

Moi, je cours de toutes mes forces!

Je suis revenue dans les coulisses juste à temps ! Juste à temps pour voir les jumelles tomber ! La foule a fait : « Oh !!!!! »

Cette fois, Baltazar a lui-même arrêté les chevaux. C'est au moins ça ! Il ramène les deux fillettes dans les coulisses. Et il pousse Jo sur la piste. Jo est blanc de peur !

Je me penche sur les jumelles. Elles ne pleurent même pas. Oana se tient la tête. Elle a perdu une nouvelle dent en tombant. Elle a un petit filet de sang qui coule de sa bouche. Je l'essuie.

— Ne pleure pas, ma jolie. Ne pleure pas. C'est juste une dent. La fée des dents t'apportera des sous cette nuit.

J'essaie de lui chanter la chanson roumaine pour la consoler. Mais les mots se mélangent tous dans ma tête.

20 h 28 — Pendant le spectacle !

Jo revient dans les coulisses. Il est tombé aussi. À moitié de la hauteur de son fil de fer. S'il avait été rendu en haut... S'il avait été rendu au sommet...

Je n'ose même pas y penser. Et je le regarde qui se retient de pleurer aussi en tenant sa jambe.

C'est à Oleg d'y aller maintenant. Ses mains tremblent.

Oleg revient dans les coulisses. Il a fini, si on peut dire, son numéro. Avant d'entrer en scène, ses mains tremblaient. Maintenant, il a les mains coupées et qui saignent. Il a dû se tenir trop fort. Mais, au moins, il n'est pas tombé.

Monsieur Bach joue de la musique devant les spectateurs. Il va jouer pendant trois minutes exactement. Après... après... bien, c'est à moi !

Je sors Élixir du sac où je l'avais caché. C'est lui que je suis allée chercher en courant jusqu'à ma roulotte tout à l'heure ! Élixir, mon oiseau ! Parce qu'il va m'aider à voler, j'en suis sûre !... à voler sans tomber.

— Élixir, mon oiseau, tu seras mon ange ! Et tu me montreras comment faire l'ange ! Et surtout, gentil Élixir, si je tombe, attrape-moi sur tes ailes et fais-moi voler jusqu'à ma maison, ma vraie maison ! Fais-moi voler, sans tomber, comme savent le faire tous les oiseaux du monde !

Le violon s'est arrêté. Monsieur Bach sort de piste. Je n'ai plus le choix ! Je ne peux plus reculer !

Roulement de tambour !

C'est à moi !

Je pose Élixir sur mon épaule.

Je serre les dents.

Et j'y vais !

Sous le projecteur !

21 h 2 — Fini!

J'ai fait mon numéro. Et les spectateurs ont applaudi. Mais à quel prix!

Je suis montée jusqu'en haut... jusqu'en haut des soies. J'ai fait l'ange. Élixir est resté à son poste, sur mes épaules. Mais, au dernier salto, mes mains ont décroché. J'allais tellement vite en descendant que je savais que j'allais me faire mal.

C'est alors que j'ai vu Élixir. Il volait autour de moi. En criant mon nom :

«Zannnnnnn!»

Alors, j'ai repris courage! J'ai refermé mes mains sur la soie. Même si ça brûlait ma peau. Je me suis agrippée de toutes mes forces!

Et je suis parvenue au sol sans trop de dommages. Élixir est revenu se percher sur mon épaule et a passé sa tête dans mon cou. Pour me rassurer. Je suis saine et sauve, comme ils disent!

Mais ma colère revient. Une très grosse colère. J'ai regardé Baltazar qui roulait le tambour. Je l'ai regardé avec mes yeux méchants.

Ça ne se passera plus jamais comme ça! Plus jamais! Parole de Zan! Je vais, à partir de maintenant, me protéger. Et protéger mes amis! Baltazar est mon ennemi! Mon ennemi à battre!

23 h 25

Le spectacle est terminé. Enfin! Nous sommes revenus dans la roulotte. Nous avons réussi à calmer les jumelles. Elles dorment. Bizarrement, la dent de la deuxième jumelle est tombée, elle aussi. Les jumelles ont perdu ensemble la même dent !

Je chuchote :

— Oleg ! Il faut trouver des sous !

— Des sous ? Pourquoi ?

— Pour la fée des dents. Elle doit passer ce soir ! Puisque les jumelles ont perdu leur dent !

Est-ce qu'elle existe dans le pays d'où vient Oleg ?

— Tu connais, Oleg, la fée des dents ?

— Bien sûr que oui, Zan ! Attends ! Tiens ! Voilà quelques sous ! Mets-les sous leur oreiller.

— Zan !

— Oui, Jo ! Tu ne dors pas ?

— Non, Zan ! Oleg ! Écoutez-moi ! Je ne comprends pas ! Mon unicycle ! Tout allait bien. Je ne comprends pas comment j'ai pu tomber comme ça pendant mon numéro de ce soir.

— Tu étais trop nerveux !

— Non, Zan ! C'est autre chose ! Je n'arrête pas de tout tourner dans ma tête ! Il y a quelque chose qui s'est passé. C'est comme si... c'est comme si mon fil de fer avait eu un problème ! Je ne sais pas, moi, quelque chose qui aurait accroché ma roue et que je n'ai pas vu !

— Ne t'en fais pas, Jo ! fait Oleg. Dors ! Tout ira mieux demain !

2 h

— Oleg!

— Oui, Zan!

— Tu ne dors pas?

— Pas capable!

— J'ai repensé à ça, tu sais. Et si Jo avait raison? Et s'il y avait quelque chose qui l'a fait tomber de son fil?

— Qui aurait pu faire une chose pareille? Ce serait beaucoup trop dangereux!

— Justement, Oleg! Justement! Dans ce cirque, tout est danger!

— Dors, Zan! Dors! Tu dois être en forme demain!

4 h

Je n'arrive pas à dormir!

Et si Jo avait raison! Si quelqu'un avait trafiqué son fil de fer! Et si!...

6 SEPTEMBRE

6 h 42

Je suis déjà réveillée! Je n'ai pas dû dormir beaucoup. J'ai tourné toute la nuit, dans ma tête, ce qu'a dit Jo.

Je regarde les jumelles dormir. Je les imagine, ce soir, retourner sur les chevaux pour un autre spectacle dangereux.

Elles sont si petites! Je n'aime pas ça!

C'est vrai que je veux ABSOLUMENT RETOUR-
NER CHEZ MOI. Mais…

7 h 30

L'heure de la crêpe. Tout le monde a des fils
d'araignée dans les yeux aujourd'hui ! Elle
manque un peu de sommeil, la troupe ! Monsieur
Bach a décidé de nous refaire du sirop sucré !
J'en prends plein les babines ! Du sucre, parfois,
c'est comme un coup de fouet !

Parlant de ça, ça me rappelle Baltazar !
Baltazar et ses coups de fouet dans l'arène. Je
recommence à froncer des sourcils méchants.

C'est vrai que je veux ABSOLUMENT
RETOURNER CHEZ MOI, comme je disais.
Mais…

Mais je ne peux pas laisser mes amis comme
ça. En danger. Non, c'est impossible !

Je ne peux pas laisser faire ça ! Et puis, de
toute façon, tant que je ne réussis pas à m'enfuir, il faut que je me protège, moi aussi.

Bon. C'est décidé. J'AI décidé. J'ai décidé que
j'allais me trouver un plan.

— Monsieur Bach ! Je vais aller faire boire les
chevaux. Je peux ?

— Bien sûr, petite Zan !

Je vais à l'écurie, détache les trois chevaux.
J'ai besoin de réfléchir un peu, toute seule.

— Mes beaux chevaux, ce matin, vous allez
m'aider. Vous allez m'aider à trouver une idée !

Je les mets en laisse. C'est-à-dire, plutôt, que je leur mets la bride, une petite corde spéciale qu'on glisse autour de leur cou pour les tenir et les guider. Ils me suivent docilement, comme trois gentils garçons ! Et je les amène vers l'étang. Je n'ai même pas le temps d'enlever leur bride que, déjà, ils ont le bec, pas le bec, le museau, pas le museau, bon ! Ils ont la bouche à l'eau, même avec leur bride encore au cou ! Bon. Puisque vous désirez garder vos brides ! Allez-y ! Buvez, mes beaux chevaux !

Je vais m'asseoir à côté d'eux. Et je pense... je pense...

Je pense que j'ai deux problèmes :

PROBLÈME NUMÉRO 1 : Je veux retourner chez moi, au SAS.

Mais, pour y retourner, j'ai besoin de mon passeport et j'ai besoin d'un avion.

Mon passeport, déjà, c'est difficile de le récupérer dans le coffre-fort de la roulotte de Baltazar. Quant à trouver UN aéroport, UN avion et l'ARGENT pour payer l'avion... !

C'est trop ! Je ne sais vraiment pas comment faire tout ça ! Et puis, je laisserais mes amis tout seuls ?

Non. Pas possible !

Alors ?

Alors, rien ! Passons au PROBLÈME NUMÉRO 2 : Sauver mes amis des dangers de Baltazar.

Hummm...

Hummmmmmmmmmmm!

Et hummmmmmmmmmmmmmmmmm!

Ce ne sont pas les idées qui se bousculent! Il y a même un grand vide dans ma tête! Je n'aime pas les grands vides dans ma tête!

— Hé! Les chevaux! Je vous avais demandé de m'aider à trouver une idée! Et qu'est-ce que vous faites? Vous êtes là à boire, en plein soleil, sans vous soucier de moi ni de mes problèmes!

Je regarde les trois chevaux! Ils ne me répondent pas! Finalement, je préférais la vache! Au moins, elle faisait meuhhhhhh!

Bon! Quand on n'a pas d'idée, on en vient à imaginer toutes sortes de bêtises! Ils sont quand même beaux, ces chevaux-là! Ils brillent presque dans le soleil, dans leur belle robe de fourrure d'un beau brun soyeux et leur grande crinière comme une auréole dans le vent! Ils sont...

Oh! Zut! Ils ont perdu leur bride! Je ne les vois plus! Baltazar va être en furie! Et comment est-ce que je vais les ramener à l'écurie? Par la crinière?

Je me lève d'un bond! Je regarde par terre, dans l'herbe! Pas de brides! J'ai encore fait une stupidité!

Je fouille, je fouille! Toujours rien! Zut! Peut-être qu'elles sont au fond de l'étang?

Je m'approche des chevaux, désespérée. Il est quand même temps de les ramener à l'écurie! Je n'ai pas le choix! Sinon, Baltazar sera en colère! Et il faudra bien que j'avoue ce que j'ai fait!

Je prends une crinière dans mes mains. Et qu'est-ce que je sens à travers les grands crins des chevaux? Oui, qu'est-ce que je sens sous mes doigts? La bride! Je me recule, je regarde mieux.

Eh oui! La bride est là! En fait, la bride est toujours restée dans leur cou. Sauf qu'on ne la voit pas! On ne la voit pas parce qu'elle est de la même couleur que leur crinière.

De la même couleur que leur crinière!

De la même couleur!...

Je me recule et je les regarde. Et je retourne vite les embrasser tous les trois! Oui. Les trois chevaux! D'accord! D'accord! Ça sent un peu le... le... un peu fort! Mais je suis trop contente!

Parce que je viens d'avoir une idée! Une brillante idée! Une hyper brillante solution à mon problème numéro 2!

C'est drôle! Hier, c'est Élixir qui m'a aidée à faire mon numéro et mes saltos!

Et aujourd'hui, ce sont les chevaux qui m'ont donné la solution!

Ce n'est pas mal, les animaux, finalement!

Quand je vais être grande, je pense que j'aurai un zoo! Et à force de regarder tous les animaux, les lions, les rhinocéros et les zèbres, j'aurai toujours des idées de génie! Je serai un génie!

Je me vois déjà...

Bon. Suffit, Zan! Reviens sur terre et mets plutôt ton plan à exécution!

8 h 36

Je suis revenue au camp. Baltazar a l'air bien pressé ce matin. À mon avis, il va en ville. Parfait!

— Oleg! crie tout à coup Baltazar. Prépare-toi pour ce soir! Tu donnes un spectacle!

— Moi, monsieur?

— Seulement Oleg, monsieur? que je demande à mon tout.

— Oui. Seulement Oleg!

Ce n'est pas bon ça! La dernière fois qu'un seul d'entre nous a donné un spectacle, c'était celui des jumelles sur les chevaux. Une vraie folie catastrophe! Et devant seulement une dizaine de spectateurs. Une chose que je ne comprends toujours pas!

Je sens que Baltazar mijote encore un mauvais coup!

Raison de plus pour activer mon plan.

— Monsieur Baltazar!

— Que veux-tu, Zan?

— Est-ce que vous allez en ville aujourd'hui?

— Pourquoi demandes-tu ça? Est-ce que cela te regarde?

— Oui... Non. Enfin oui... un peu... C'est pour deux choses, monsieur Baltazar. D'abord, la musique. Vous savez, la musique que vous m'avez demandée?

— Oui!

— Eh bien, j'ai avancé! Je crois que j'aurai bientôt une musique pour vous. Une musique super dramatique, comme vous me l'avez demandé. Sauf que pour la finir, j'ai besoin de trouver un ordinateur. Vous savez un ordinateur, comme l'autre jour. Avec le clavier virtuel!

Il me regarde, il hésite.

— Monsieur Baltazar, nos numéros sont difficiles. Moi, honnêtement, je crois que les spectateurs auront encore plus peur pour nous avec une musique qui leur fait peur. Ce sera vraiment bon pour le spectacle. Mieux encore que le violon de monsieur Bach. Le violon, c'est doux et joli. Ça ne leur fait pas peur.

Là, je crois que j'ai un bon argument. C'est vrai ça, le violon de monsieur Bach, il nous fait du bien. Il ne nous énerve pas, il nous calme! Et ce n'est pas ça que Baltazar veut dans les spectacles! Il veut du frisson! Bien, je vais lui en donner du frisson!

— D'accord! finit-il par dire. D'accord, pour la musique. Et ton autre demande, Zan?

— Eh bien, j'ai pensé à quelque chose, monsieur Baltazar! Les costumes. Nos costumes, ils sont déchirés, sales et vieux! Il nous faudrait de nouveaux costumes!

— Je n'ai pas d'argent pour ça!

— Mais, monsieur Baltazar, je sais coudre. Et je peux montrer aux autres à coudre leur costume! Je ne crois pas que cela coûterait une fortune! Et puis, ça nous occupera quand on aura du temps libre!

— Elle a raison, Baltazar!

C'est monsieur Bach qui vient d'approcher.

— Elle a raison. Je crois qu'ils s'amuseraient à se fabriquer de nouveaux costumes!

— D'accord! finit par dire Baltazar. Si ça vous amuse.

— Alors, je peux aller en ville avec vous aujourd'hui? Pour l'ordinateur et les tissus? Je peux?

— Oui. On part dans une heure!

— Merci!

C'est dur de cacher à Baltazar combien je suis contente!

Mon plan! Mon plan fonctionne!

9 h 15 — Tous cachés dans la roulotte.

— Réunion urgente! Tout le monde m'écoute!

Je parle comme un général en chef.

Ici, dans NOTRE roulotte, on est entre nous!

Je sors Élixir de son sac, je le pose sur l'épaule de Iulia, qui dessine avec Oana. Elle sourit, avec son grand trou entre les dents dans le milieu. Elle me montre les sous qu'elle a trouvés sous son oreiller. Et Oana me montre les siens.

— Je leur ai expliqué, ce matin, qui était la fée des dents, fait Oleg. Je leur ai dit de faire un dessin à la fée pour qu'elle revienne chaque fois qu'elles perdent une dent! Et c'est ce qu'elles font!

C'est fou! On est quand même bien entre nous! On arrive à se faire une vraie vie! D'une certaine façon, on est la famille-roulotte! Tiens! Ça me donne une autre idée!

— Écoutez-moi!

En fait, il n'y a vraiment qu'Oleg et Jo qui écoutent. Les jumelles ne comprennent pas ma langue. Et puis, elles sont trop petites!

— Voilà! je continue. Nous sommes tous d'accord que les numéros que nous demande Baltazar sont trop dangereux?

— Oui.

Les deux ont dit oui en même temps!

— Et nous sommes tous d'accord qu'il faut ABSOLUMENT trouver un moyen de nous protéger avant qu'il nous arrive un malheur?

— Oui!

Décidément, à les entendre toujours parler en même temps, on dirait qu'ils sont jumeaux aussi, Jo et Oleg!

— Alors, j'ai eu une idée. Écoutez-moi bien!

9 h 45 — Sur la route!

Ça y est! Je roule vers la ville dans le camion de Baltazar! Et cette fois, je n'ai pas besoin de le faire en cachette! Je n'ai pas besoin de raconter des mensonges! C'est lui-même qui m'amène!

— Zan, ne pense pas que tu vas pouvoir te sauver ou faire des choses qui ne me plaisent pas !

— Qu'est-ce que vous voulez dire, monsieur Baltazar ? Je ne comprends pas... Je fais en comprenant parfaitement bien !

— Ce que je veux dire, c'est que j'ai beaucoup entendu parler de toi. Et de ce que tu as fait dans ton école de cirque, là-bas, au SAS. Et tu ne vas pas recommencer à faire des problèmes ici. Je veux bien t'amener en ville, mais je vais te surveiller ! Tu as compris ?

— Oui, monsieur !

— TU SERAS TOUJOURS SOUS MA SURVEILLANCE ! COMPRIS ?

— Oui, monsieur ! je répète.

« J'ai beaucoup entendu parler de toi », qu'il vient de dire Baltazar... C'est bizarre, ça ! Par qui ? Est-ce qu'il connaîtrait quelqu'un chez moi, au SAS ? Plusieurs fois, il a dit la même chose, qu'il me connaissait ! Mais comment ? Comment est-ce qu'il peut avoir entendu parler de moi ? Et par qui ? Je viens de si loin ! Il me semble qu'il y a deux mondes entre ici et chez moi ! Une moitié de planète au complet !

Bizarre ! Bizarre ! Bizarre...

Il ne faudra pas que je l'oublie cette curieuse chose-là ! Il faut que je découvre comment et par qui il me connaît !

Mais bon! Aujourd'hui, j'ai une chose plus importante à faire. Une mission ESSENTIELLE!

11 h 45 — À la ville, dans un marché en plein air! C'est quand même génial, un marché en plein air! Ça sent plein de bonnes odeurs, ça brille de plein de belles couleurs, ça chante plein de belles chansons!

Ça y est! Avec Baltazar, j'ai acheté des tas de beaux tissus neufs! Des rouges, des jaunes, des bleus, des brillants! On sera tous magnifiques là-dedans!

La madame des tissus était drôle. Une madame... joufflue! Avec une longue jupe. Elle avait étalé tous ses tissus en plein air, dehors, dans la rue! Les tissus partaient au vent! À côté, il y avait d'autres dames et messieurs qui vendaient des paniers, des saucisses, des frites! Et surtout, il y avait des gens, des hommes et deux garçons de mon âge, avec de drôles de petits chapeaux noirs qui jouaient du violon! Qu'ils sont bons! J'aime beaucoup cette ville! Les gens rient et parlent tous en même temps! Et, pour une fois, Baltazar a été gentil! Il m'a laissée choisir mes tissus et a juste payé! Il avait presque un sourire! Surtout quand je parlais à la vendeuse, qui ne comprenait pas un mot de ce que je disais! Mais on se comprenait quand même! Je disais rouge, elle me montrait bleu, on éclatait de rire... et on finissait par tomber toutes les deux d'accord sur du jaune!

Piquant!

Bon. Mais maintenant, Baltazar doit aller à un café-terrasse et il m'a laissée aller à l'ordinateur, au fond du café, toute seule. J'ai beaucoup de travail à faire pendant qu'il est occupé et ne me regarde pas!

D'abord, ouvrir mes messages de ma messagerie, avec mon code Montréal 🖱️!

Des tonnes!

CHRISTELLE@ZAN
Zan! C'est incroyable! Va voir sur la carte de *PlanèteTroouve*! On a indiqué toutes les villes où tu es passée avec une punaise jaune! Formidable! Tu te promènes partout! J'aimerais bien faire partie d'un cirque ambulant, comme toi!

Je regarde la fameuse carte.

WOW! J'ai fait tout ça moi! Je suis une grande voyageuse!

Je contemple la ligne jaune entre toutes les villes que j'ai traversées! Et je recule un peu le zoom pour mieux voir les pays sur la planète.

Incroyable!

J'ai traversé cinq pays! Moi, Zan, j'ai traversé cinq pays différents!

Et tout ça, en vieux camion, et en tirant tout un cirque derrière moi!

ZAN@TOUS
Merci! Vous êtes merveilleux! Et maintenant, je suis arrivée dans un pays de chevaux et de champs de blé. C'est quand même beau! Dans la ville où je suis coule la plus belle rivière au monde, une rivière qui s'appelle la rivière Dniepro. 🐁
Pouvez-vous trouver où je suis? J'attends vos cartes! Grooooosses bises!!!! ☺

J'ouvre un premier message de Filis!

FILIS@ZAN
Zan, SOFI A DISPARU! LA PETITE SOFI A DISPARU! Comme tu as disparu, toi! Monsieur Trempe, le directeur du SAS, m'a dit qu'elle était partie te rejoindre, dans un pensionnat près d'ici! Mais je sais que ce n'est pas vrai! Je ne le crois pas! Il raconte des mensonges! Puisque tu es rendue si loin, dans ce nouveau pays, peut-être que Sofi est rendue aussi loin que toi? Il faut la retrouver, Zan! Il le faut! Je suis très inquiet pour elle! Et je suis aussi inquiet pour toi! Et je suis inquiet pour nous, ici! Il se passe des choses étranges, au SAS. Des choses que je n'aime pas! Rom, notre entraîneur,

essaie de nous protéger, mais je sens qu'il n'y arrive pas!

Hier, monsieur Trempe m'a fait donner un spectacle! Un spectacle très dangereux et pour 10 spectateurs seulement! Tous des hommes, pas d'enfants! Et je suis tombé! Le numéro de trapèze était trop difficile! Et monsieur Trempe avait enlevé le filet de sécurité!

Et tu ne sais pas le plus étrange, Zan? Les spectateurs étaient tous contents que je tombe! Ils ont crié de joie parce que je me suis fait mal! Est-ce que tu y comprends quelque chose, toi?

Et maintenant, SOFI A DISPARU! IL FAUT, IL FAUT, IL FAUT LA RETROUVER!

Sofi a disparu du SAS!

Je ferme les yeux, je la revois! La petite Sofi avec sa belle ombrelle d'équilibre quand elle fait du fil de fer! On l'appelle la petite Sofi parce qu'elle a mon âge, mais son corps a arrêté de grandir un jour! Elle a eu une maladie. Et elle a la taille d'une toute petite fille! Encore plus petite que les jumelles!

Et maintenant, elle a disparu!

Mais qu'est-ce que je peux faire?

Je suis au bout du monde!

Qu'est-ce que je peux faire?

J'ai un petit moment de désespoir!

Qu'est-ce que je peux faire?

Rien! Je ne peux rien faire, c'est ma conclu-sion. Je suis trop loin. Et j'ai trop de problèmes à résoudre ici. La seule chose...

ZAN@FILIS
Filis, je trouve bizarre que ce qui se passe au SAS ressemble beaucoup à ce qui se passe ici, de l'autre côté de la planète. Nous aussi, tous nos numéros sont dangereux. Nous aussi, les gens rient quand on tombe. On a le même problème tous les deux. Comme si nos deux cirques se connaissaient! Et d'ailleurs, mon maître de cirque, Baltazar, dit souvent qu'il me connaît bien. Alors, j'ai une idée. Peux-tu trouver s'il y a un lien entre le SAS et MON cirque, le Cirque Nomade? Je sais que c'est impossible, c'est trop loin, mais c'est trop bizarre!
Pour Sofi, je suis atterrée! Et je ne sais pas quoi faire ni quoi te dire!

Voilà! Je crois que c'est tout ce que je peux faire pour l'instant! Oh! c'est vrai, il y a un dernier message de Filis que je n'ai pas encore ouvert!

FILIS@ZAN
J'ai oublié de te dire. J'ai traduit ta chanson roumaine *Gargarița, -rița*.

Je lis la chanson! Oh! c'est mignon! Il faudra que j'écrive une musique pour cette chanson-là. Peut-être avec une trompette?

Juste de reparler de musique, ça m'a fait du bien!... Du bien!... Ouais!... Mais je n'oublie pas mes problèmes! Et surtout, celui qui me revient avec une sorte de voile dans les yeux, mon nouveau problème, la disparition de Sofi.

C'est drôle, et ce n'est pas drôle aussi, j'ai l'impression que tout mon monde s'écroule! Ici, c'est difficile; au SAS, c'est difficile aussi... C'est comme si, tout à coup, il n'y avait plus rien de solide! C'est comme si...

Stop, Zan! Stop! Arrête! Tu commences à voir tout en noir! Et voir du noir, c'est sûr que ça cache la lumière. Alors, rallume-la! Il y a des solutions! Et la première, c'est le plan que je vais mettre à exécution avec mes amis dès que je reviens au cirque avec Baltazar! Ce sera déjà ça!

Et pour Sofi...

Et pour Sofi... Tiens! on peut quand même essayer cette idée! Ce n'est peut-être pas bête!

ZAN@SOFI
Sofi, si tu prends tes messages, écris-moi! Et dis-moi où tu es, dans quelle ville. Fais attention à toi!

Bon. Je ne sais pas si elle va me répondre, mais au moins, j'ai le sentiment d'avoir fait quelque chose !

— À qui écris-tu, Zan ?

Oups ! Revoilà Baltazar, derrière moi !

— Euhhhh... à un ami... à un musicien que je connais... J'avais besoin d'un avis sur la musique... et puis, il y avait un truc que je ne sais pas faire, alors je lui ai demandé de l'aide ! C'est tout !

Il a les sourcils froncés méchants, mais ça, on peut dire que c'est normal chez lui ! Il a dû naître comme ça ! Et puis, je ne me sens pas trop mal. Ce n'est pas un mensonge... enfin, pas un mensonge total... C'est vrai que j'ai demandé de l'aide à Filis pour ma musique !

— Bon ! Allez, ça suffit maintenant ! On retourne au cirque ! Oleg donne un spectacle ce soir. Il faut le préparer !

Ouf ! J'avais quand même peur qu'il me demande de lire tous mes messages !

14 h 22 — En route vers le cirque dans le camion de Baltazar.

Je remarque... Oui, je remarque que Baltazar a une grosse poche de pantalon ! Une poche bien gonflée ! Une poche où dépasse de l'argent.

Baltazar a encore beaucoup d'argent ! Où est-ce qu'il prend tout ça ? Qu'est-ce qu'il en fait ? Est-ce encore les hommes, au café, qui lui donnent tout cet argent ? Et pourquoi ?

Ce que je n'aime pas, mais alors pas du tout, c'est que la dernière fois que j'ai vu Baltazar avec un gros tas de billets, c'est le soir du numéro des jumelles. Le soir où elles ont failli se faire très mal ! Le soir où il n'y avait que quelques drôles d'hommes au spectacle, et un seul numéro présenté.

Et je me rappelle tout à coup que ce soir aussi, il n'y aura qu'un seul numéro de présenté, celui d'Oleg !

Cela ne m'apparaît pas net tout ça ! Est-ce que Baltazar voudrait maintenant mettre la vie d'Oleg en danger devant quelques spectateurs ?

18 h 34 — On soupe ! On soupe !
— Oleg ! je chuchote.

— Oui ?

— Est-ce que ton numéro est très dangereux ce soir ?

Il hésite.

— Oui. Baltazar m'a demandé de faire plusieurs saltos arrière. Et j'ai de la difficulté à rattraper mon trapèze.

— Est-ce que tu as beaucoup pratiqué aujourd'hui ?

— Oui et non. Quand Baltazar est rentré de la ville, avec toi, il m'a demandé de sortir du chapiteau.

— Pourquoi ?

— Je ne sais pas. Il a dit qu'il devait préparer des accessoires pour le spectacle de ce soir!

Oh! que je n'aime pas ça! Oh! que je n'aime pas ça! Et mon excellent plan ne sera jamais prêt pour ce soir. Pour le spectacle d'Oleg.

20 h 32

Le spectacle d'Oleg va commencer. Baltazar est déjà en piste avec son tambour! Il parle aux spectateurs, mais je ne comprends pas ce qu'il dit. Parlant spectateurs, c'est le même scénario que l'autre soir, avec les jumelles. Une dizaine d'hommes, c'est tout.

Oh! que je n'aime pas ça!

Zut! Le projecteur s'allume sur le trapèze d'Oleg. C'est à son tour.

— Fais attention, Oleg!

Il ne me répond pas, bien sûr, il est trop concentré et trop nerveux.

Il grimpe l'échelle de corde, décroche son trapèze, l'attrape... et fait une drôle de grimace, je ne sais pas pourquoi!

Premier salto! Ça va. Mais il me semble qu'il a eu du mal à se rattraper.

Deux saltos avant. Bon. Il a repris le trapèze. Mais on dirait que ses mains glissent!

Oh! Maintenant, il se balance très fort! Il va sûrement faire plusieurs saltos pour prendre autant d'élan. Ça y est! Il est parti! Salto arrière.

Un autre salto.

Deux. Je retiens mon souffle!

Trois! Il ne va jamais se rattraper. Il ne va jamais se...

Une main! Oleg a réussi à se rattraper d'une main, il est suspendu tout là-haut avec une seule main! Et la main glisse sur la barre!

Le trapèze s'est arrêté. Oleg fait tout ce qu'il peut pour reprendre le trapèze avec sa deuxième main. Est-ce qu'il va réussir? Il y a ses cheveux qui l'aveuglent complètement.

Ouiiiiiii! Il l'a eu! Il se remet à la verticale. Il se remet à se balancer, attrape enfin l'échelle! Ouf! Il est sauvé! Non! Il repart! Mais il est fou!

Un autre salto arrière! Rate le trapèze! Il tombe! Il va se casser le cou!

Il a réussi à attraper l'échelle! À moitié! Mais il est quand même tombé un bon bout!

Il redescend. J'espère que cette fois, c'est terminé!

Roulement de tambour!

Je sais, je suis sûre de ce qui va se passer maintenant! Oleg est tombé! Alors, ils vont... ils vont...

Non. Cette fois, les spectateurs ne hurlent pas de joie, comme la dernière fois! C'est exactement le contraire qui se passe! Cette fois, c'est Baltazar qui est tout heureux!

Un monstre! Un monstre!

Oleg vient de passer à côté de moi. Il est tout blanc et il tremble !

— Rentrez dans votre roulotte ! nous crie Baltazar. Rentrez dans votre roulotte ! Maintenant !

21 h 16

Baltazar nous a suivis jusqu'à notre roulotte. Moi, j'attends qu'il s'éloigne. Je veux faire comme l'autre soir et aller voir ce qu'il fabrique avec les spectateurs.

J'attends un peu. J'attends qu'il s'éloigne...

Je tourne doucement la poignée de notre roulotte... je tourne...

Clac !

Rien.

La poignée ne tourne plus !

Baltazar nous a enfermés à clé !

Je ne peux pas sortir ! Je ne peux pas aller l'espionner !

Je ne peux pas savoir ce qu'il manigance !

21 h 46

On a mis nos pyjamas. C'est l'heure de faire ma réunion générale. Je sors tous les beaux tissus de mon sac.

— Vous êtes bien tous encore d'accord que nous devons nous protéger ?

— Oui. Moi, ça me fait peur ces numéros-là !

— Oleg, tu ne dis rien! Tu es toujours d'accord?

— Oui. Oui.

C'est drôle. Oleg n'a plus l'air d'avoir peur. Il a l'air soucieux. Bon. Je verrai ça plus tard! En attendant, je continue.

— Voici mon plan. Nous allons nous fabriquer de nouveaux costumes. De très jolis nouveaux costumes.

— Mais je ne sais pas coudre! fait Jo.

— Moi je sais, que je lui réponds. Je vous montrerai. Mais ce qui est important, c'est que nos costumes auront un truc. Un truc caché! Regardez bien! Je vais vous montrer! Pour les jumelles, par exemple, nous allons prendre le joli tissu bleu qui brille et... je vais vous le dessiner!

0 h 22

Je n'arrive pas à dormir. Mais je suis contente. Tout le monde s'est mis à son nouveau costume! On a déjà coupé celui des petites jumelles et celui d'Oleg! Et j'ai commencé à coudre. J'essaie de coudre le plus vite possible! Parce que si je veux que mon plan fonctionne, les costumes doivent être prêts le plus tôt possible! Mais je dois faire de bonnes coutures... de solides coutures! Sinon, mon plan ne fonctionnera pas!

**o h 45 — C'est pourtant vraiment
l'heure de dormir !**

— Zan !

— Oui, Oleg. Tu ne dors pas ?

— Non. Il y a un truc que je ne comprends pas !

— Quel truc ? La couture ?

— Non, Zan. Pas la couture. C'est à propos du spectacle de ce soir...

— Oui. Tu es tombé ! C'était trop difficile, de faire trois saltos !

— Ce n'est pas ça. C'est mon trapèze. Tu sais la barre de mon trapèze ?

— Oui. Et alors ?

— Eh bien, la barre, elle n'était pas droite comme d'habitude ! C'est pour ça que mes mains glissaient sans arrêt. C'est comme si...

— C'est comme si quelqu'un avait modifié ton trapèze, c'est ça ?

C'est Jo qui parle.

— Tu ne dors pas, Jo ?

— Non. Je ne peux pas. Je pense. Et je comprends ce que veut dire Oleg. Il dit que quelqu'un aurait voulu rendre son trapèze dangereux pour qu'il tombe. Eh bien ! Rappelez-vous ! C'est exactement le même sentiment que j'ai eu avec mon fil de fer. Comme si quelqu'un avait mis quelque chose sur le fil pour que mon unicycle décroche. J'en suis sûr maintenant. Je ne suis pas tombé par hasard !

— Moi non plus, fait Oleg. Je ne suis pas tombé par hasard. La barre de mon trapèze n'était pas normale ! Tu comprends quelque chose, toi, Zan ?

Pas vraiment. Je comprends seulement que tout ça sent mauvais. Encore plus mauvais que les chevaux !

— On va vite se dépêcher pour les costumes !

C'est tout ce que je trouve à dire ! Pas fort !

7 SEPTEMBRE

9 h 22 — J'ai mangé deux crêpes entières ce matin. J'ai mis Élixir sur mon épaule. Pour lui faire prendre l'air parce qu'on a enfin pu ressortir de notre roulotte ! De notre prison !

Je n'ai jamais vu un atelier de couture pareil ! On dirait des fourmis à l'aiguille ! C'est sûr ! Il FAUT absolument faire nos costumes au plus vite ! On coud ! On coud ! On n'arrête pas ! On a même mis les jumelles dans le coup ! C'est sûr, on vérifie bien ce qu'elles font. Leurs points sont aussi petits qu'elles ! Et pas très solides !

On est tous assis en rond autour d'un joli feu que monsieur Bach nous a préparé. Il fait un beau soleil, mais quand même, c'est septembre ! Il y a un ventounet, un vent... ounet ! Un petit vent, dans le langage Zan ! Dans les champs autour, je vois des paysans qui récoltent le blé.

Et c'est beau parce qu'ils ont tous des chevaux et des bœufs! Pas des tracteurs! Comme si le monde moderne n'existait pas ici! Si j'y pense fort, je m'imagine dans un film. Un film à l'ancienne, avec des chevaux, un prince pour moi! Et oui, un château! Quel film? Quel film? Je ne me rappelle pas!

Monsieur Bach a joué du... Bach avec son violon! Je ne dois pas oublier de faire ma surprise à monsieur Bach. Avec MA musique. Mais là, je n'ai pas le temps! Il faut coudre, coudre!

Monsieur Bach... c'est drôle, on dirait qu'il a vieilli de mille ans depuis que je suis arrivée au Cirque Nomade, depuis que les choses vont mal. Lui qui avait, j'en suis sûre, déjà mille ans! Il fait pitié avec son œil aveugle. Et le pauvre vieux, il est encore plus voûté qu'avant. Comme s'il portait un énorme poids sur ses épaules. Mais il est gentil! Chaque matin, maintenant, il nous fait son sirop avec du sucre, du beurre et de l'eau. Mais ce matin, c'est fou comme il tourne en rond. Peut-être parce que Baltazar est parti je ne sais pas où? Et que monsieur Bach a peur de ce qu'il prépare? En tout cas, pauvre monsieur Bach, on dirait qu'il est tout retourné!

— Non, Iulia! Pas comme ça! Regarde! Ta couture est dans le mauvais sens!

Iulia me regarde avec de grands yeux ronds! C'est sûr! Elle ne comprend pas ma langue. Je me tourne vers Oleg. Oleg sourit.

— Explique-lui, Oleg. Traduis ce que je viens de dire pour elle !

Oleg traduit. Je ne comprends rien ! Mais, en tout cas, Iulia remet la couture à l'endroit. Pour la féliciter, je pose Élixir sur son épaule. Et Élixir est gentil. Il reste là sans bouger. Je crois qu'il aime bien les jumelles. Il aime les petits enfants.

— Quand même Oleg, je veux que tu me montres des mots en roumain.

— Je te le promets, Zan. Tiens, commence par ceci *Bine ati venit* !

— *Biat vine ? Bine via tat ?*

— Ouais ! On continuera de se pratiquer ! Ça signifie : « Vous êtes tous bienvenus ! ».

— *Bine...*

14 h 23 — Milieu de l'après-midi ! Mais pas encore le milieu de notre couture ! C'est long et compliqué ! On est encore à des années-lumière de finir. J'espère qu'il n'y aura pas de spectacle ce soir !

Tiens, je devrais demander à monsieur Bach. Il le sait peut-être ? Parce que je n'ai pas vu encore Baltazar aujourd'hui.

Monsieur Bach est assis tout seul, à l'ombre du grand chapiteau bleu et jaune. Il fabrique... il fabrique je ne sais pas trop quoi... avec du bois ! Des tout petits fins bouts de bois. En fait, on dirait qu'il fabrique des aiguilles à tricoter !

— Bonjour, monsieur Bach !

— Bonjour, petite Zan! Tu sais, tu as eu une excellente idée pour les costumes! Vous êtes jolis à voir, tous occupés à coudre dans le soleil!

Je garde mes lèvres bien fermées. J'aimerais bien lui parler de mon plan secret. Mais je ne lui fais pas assez confiance. Dommage!

— Et vous, monsieur Bach, qu'est-ce que vous fabriquez?

— Une surprise. Une surprise pour toi, Zan!

— Pour moi! Qu'est-ce que c'est?

— Une surprise! Tu sais ce que c'est qu'une surprise, Zan?

— Quelque chose qu'on ne connaît pas d'avance! que je lui réponds.

— Mieux! Quelque chose qui *étonne et qui fait plaisir*!

— Vous voulez me faire plaisir? À moi? Vous êtes gentil, monsieur Bach. Je ne comprends pas, monsieur Bach, pourquoi vous, qui êtes si gentil et doux, restez dans ce cirque où les artistes sont malheureux? Parce que nous sommes malheureux, vous savez!

Il pose ses... ses aiguilles à tricoter et baisse la tête. Je viens, juste avec une phrase, de lui donner encore mille ans de plus! Son visage se chiffonne.

— Je reste avec vous parce que vous êtes malheureux, justement, répond-il à voix basse. Et je n'aime pas le malheur.

— Mais le Cirque Nomade est le cirque du malheur!

— Oui... Oui... maintenant, il l'est. Mais cela n'a pas toujours été le cas. Tu sais, Zan, avant, le Cirque Nomade était le cirque ambulant le plus magique au monde! Le cirque des enfants qui rient, des clowns qui arrosent, des acrobates qui éblouissent!

Sa voix est devenue toute triste. Je n'aurais peut-être pas dû lui parler de ça!

— Zan, il fut un temps où le Cirque Nomade promenait son beau chapiteau jaune et bleu dans tous les pays! Nous avions les plus grands clowns de tous les temps et, tous les jours, les gradins étaient remplis d'enfants! Le clown Boris, à lui seul, réussissait, avec sa pompe à eau, à arroser la moitié des spectateurs! Et puis, il y avait beaucoup de chevaux et des numéros extraordinaires! Le Cirque Nomade, c'était... le plus beau, le plus grand, le plus magique de tous les cirques. Tous les artistes voulaient en faire partie! C'était... c'était... le bonheur! Oui, Zan, le bonheur ambulant!

— Si tous les numéros étaient aussi dangereux que ce qu'on fait maintenant, ce ne devait pas être si bien!

— Justement, Zan! Justement! Il y avait des filets, des harnais. Jamais d'accident. Les spectateurs venaient nous voir parce qu'ils s'amusaient et rêvaient. Et quand ils repartaient, ils en avaient pour des jours et des jours à habiter un rêve magique !

Et il ajoute, avec une voix encore plus triste :

— Tous les artistes étaient fiers d'appartenir au Cirque Nomade ! Tous ! Nous étions très heureux ! La plus belle famille au monde !

— Ouais... bien, ce n'est pas exactement le cas maintenant ! Qu'est-ce qui s'est passé, monsieur Bach ? Parce qu'aujourd'hui, nous ne sommes pas heureux ici. Et pourtant, nous sommes très bons dans nos numéros...

— Oh ! Oui ! Vous êtes parmi les meilleurs !

— Mais le Cirque Nomade n'est plus magique !

— Non. Tu as raison, Zan. La magie est partie. Elle a disparu. Elle a disparu lorsque le maître de cirque d'avant, Boris le clown justement, a vendu le cirque à Baltazar !

— Boris le clown ?

— Oui. C'est l'homme le plus extraordinaire dans le monde du cirque. Il peut faire rire même les plus sombres. Même les plus malheureux. Il redonne toujours le sourire et le rire aux artistes, aux enfants et aux spectateurs.

— Mais où est-il maintenant ? Et pourquoi l'a-t-il vendu à cet affreux Baltazar qui est un monstre ?

— Il l'a vendu en croyant bien faire. Baltazar lui a fait croire qu'il continuerait de faire du Cirque Nomade le meilleur cirque ambulant.

Mais, bien sûr, Baltazar mentait! Et Boris ne l'a pas deviné. Boris le clown faisait toujours confiance aux gens.

— Et où est-il maintenant, ce Boris?

— Il a acheté un autre cirque ambulant. Je ne sais pas où il est maintenant. C'est triste. C'est terriblement triste ce qui est arrivé!

— Et vous, monsieur Bach, pourquoi êtes-vous resté ici, au Cirque Nomade?

— Parce que je ne faisais pas confiance, moi, à ce Baltazar. Je croyais qu'il pourrait faire du mal aux artistes.

— C'est ce qu'il fait, vous savez! Il nous fait du mal et il nous fait peur!

— Oui. Je sais. Et je suis resté pour vous protéger. Mais je me suis trompé, terriblement trompé! C'est la plus grande erreur de ma longue vie. Je suis trop vieux. Beaucoup trop vieux pour vous protéger! Je ne peux plus rien faire... Sauf un peu de sirop sucré... un petit feu pour vous réchauffer... un peu de violon...

— Mais monsieur Bach, ensemble, vous et nous, nous pourrions faire beaucoup! Même changer les choses! Nous pourrions nous LIBÉRER! Je suis très bonne, très habile, vous savez! Je sais faire plein de choses!

— Non, ma petite Zan. Non. Tu ne peux rien faire! Tu n'es qu'une enfant. Et moi, je suis un vieillard à moitié aveugle et usé. Même ensemble,

nous ne pourrions pas nous opposer à Baltazar.
Il est trop...

— Dangereux?

— Oui. Dangereux. Et puissant. Le mieux
que tu as à faire, Zan, c'est de continuer à
prendre soin de tes camarades comme tu le fais
déjà si bien. Leur faire de la musique! Les
occuper à coudre par exemple... Et moi... et moi,
je vais simplement continuer à te fabriquer une
surprise, pour te remercier... C'est tout ce qui
reste en mon pauvre pouvoir de vieil homme
usé!

Je le regarde. Il se remet à travailler ses sortes
de drôles d'aiguilles de bois! Pauvre monsieur
Bach! Il est complètement... complètement
démuni de moyens! C'est vrai qu'il est vieux!
Mais il est plus que vieux, maintenant! Il est un
peu mort dans son cœur.

Il ne croit plus en lui.

Il croit qu'il ne peut plus servir à rien!

Pauvre monsieur Bach!

16 h 25 — Le soleil baisse

Mais moi, je crois encore en moi! Je crois encore
en moi et je vois très clairement la situation. Et
la situation, là maintenant, c'est que Baltazar
n'est pas dans les parages et que le soleil baisse,
donc la lumière aussi!

Autrement dit, j'ai le champ libre! Et depuis
le temps que je veux mettre mon nez dans les

affaires de Baltazar pour comprendre un peu mieux ce qui se passe ici!

Le seul problème, c'est que Baltazar peut revenir à tout moment. Mais je ne vais pas m'arrêter pour si peu! Si je suis prise, j'inventerai bien quelque chose, je me connais!

Donc! C'est décidé! Direction roulotte de Baltazar!

Bon. Personne ne me regarde. Les autres jouent avec les chevaux. Monsieur Bach vient de les rejoindre, là-bas, près de l'étang.

Action, Zan!

Je tourne la poignée de la roulotte de Baltazar. La porte s'ouvre. Je mets vite les pieds à l'intérieur et referme la porte derrière moi!

Bon! La première chose que j'ai toujours voulu voir, c'est ce fameux cube noir. Le coffre-fort! Parce qu'à l'intérieur du coffre-fort, il y a tous nos passeports. Ces petits livres qui nous servent à changer de pays. Si je parvenais à récupérer les passeports de tout le monde, peut-être que l'on pourrait s'enfuir ensemble?

Je le vois bien, ce fameux coffre. Avec une grosse roulette à numéros sur la porte. Zut! J'avais espéré qu'il y aurait plutôt un cadenas avec une clé. Parce qu'une clé, je peux la chercher dans les tiroirs. Mais un numéro secret, c'est pas mal plus compliqué à deviner!

Essayons tout de même. Après tout, chez moi, j'avais bien un cadenas de vélo avec un numéro. Et j'arrivais à l'ouvrir ! Peut-être qu'ici aussi ! Quoique... il a l'air plutôt vilain ce cadenas-là ! Mais bon ! Il ne faut pas se décourager avant d'avoir essayé, pas vrai ?

Je tourne dans un sens, puis dans l'autre. J'essaie plusieurs numéros. Rien à faire. Fermé aussi dur que mes pots de confiture aux framboises à la maison. Et ce cube, ce coffre-fort-là, je ne peux quand même pas le passer sous l'eau chaude, comme pour la confiture. Il est énorme !

Bon, continuons encore un peu... Non. Ce n'est pas prudent de rester là ! Je devrais partir. Parce que Baltazar, il va bien finir par se pointer dans sa roulotte !

D'accord ! Juste un dernier essai ! Un tour à droite sur le... le 22... pourquoi pas ? Deux tours à gauche sur le... le...

La porte s'ouvre. Pas celle du coffre-fort ! Celle de la roulotte ! Baltazar est revenu !

Misère !

Soupe de problèmes !

Enfer et damnation, comme j'ai déjà lu quelque part !

En un éclair, je me rappelle qu'une roulotte c'est vraiment minuscule ! Pas de place pour se cacher. Il le faut pourtant !

J'ai une seconde !

Une demi-seconde !

Plus de seconde !

Le *minusculissime* placard de Baltazar! C'est la seule place où me cacher!

Oh que c'est petit! Même pour moi! Je ne peux pas respirer. Mais tant que Baltazar ne décide pas d'ouvrir la porte, ça ira! Je suis prête à vivre sans oxygène!

Je l'entends bouger, de l'autre côté de la porte du placard, puis j'entends encore la porte qui se referme. Celle de la roulotte! Il vient de partir!

J'ouvre doucement la porte de mon placard. Regarde. Personne.

Je mets un pied dehors, puis l'autre. Personne. Jusqu'ici tout va bien!

Tout ne va pas bien!

Non! Tout va très mal!

Baltazar n'est pas sorti, il est étendu sur sa couchette! Il est là, juste devant moi! Comme le méchant dans Superman, Spiderman, Batman et tous les autres *mans*! Il se redresse, les yeux... bon les yeux de Baltazar, et ses sourcils, on les connaît! Méchants! Méchants! Méchants!

— Zan! petite sorcière. Que fais-tu cachée dans ma roulotte?

— Je n'étais pas cachée monsieur Baltazar! Je viens juste de rentrer!

Il se lève. J'ai déjà dit combien ses muscles de bras sont gros? Ses muscles sont maintenant gonflés par la colère, et il s'approche de moi!

— Monsieur Baltazar! je vous le jure. Je vous cherchais! Je vous ai vu rentrer dans votre roulotte et je vous ai suivi ! Mais vous dormiez !

— Je ne dormais PAS !

— Oui. Je vous ai même entendu ronfler ! Je vous le jure !

Il a un moment d'hésitation. Il n'est plus très sûr de lui !

J'en profite.

— Je voulais vous demander des aiguilles. De nouvelles aiguilles pour coudre. On a tous perdu nos aiguilles !

— Des aiguilles ? Je n'ai pas d'aiguilles ! Et sors d'ici ! MAINTENANT !

Vraiment, il n'avait pas besoin de crier ! Parce que je sors tellement vite qu'il doit penser que je suis une vraie sorcière ! Un moment je suis là ! Un moment, je ne suis plus là ! Magie !

Ouf ! Vivement que je retrouve mes amis près de l'étang !

Il y a juste une chose. Baltazar SAIT maintenant, j'en suis sûre, que je fouille dans sa vie ! Que je le trompe ! Et que je suis un danger pour lui !

Ce n'est pas sûr que ce soit une bonne nouvelle pour moi !

20 h 22 — Quel beau soir !
J'ai fait du cheval !!!!!!!!!!
De l'ÉQUITATION !!!!!!!!!!!!!!!!!!!!!!!!!
Moi !!!!!!!!!!!!!!!!!!!!!!!!!!!!!

C'était... c'était FORMIDABLE!!!!!!!!!!!!

Près de l'étang! Il y avait un magnifique soleil doré qui se couchait doucement derrière les collines! Monsieur Bach jouait du violon...

Il nous a fait un feu, et les jumelles se sont endormies, avec leur petite couture encore dans les mains!

— Zan, tu viens faire un tour avec moi? m'a demandé Oleg, et il a montré les chevaux.

— Mais... mais je ne sais pas comment!

— Tu es monté l'autre soir! L'autre soir, pour sauver les jumelles!

— Oui, mais l'autre soir, j'avais peur pour les jumelles! Alors, j'ai agi d'abord et j'ai réfléchi ensuite! Mais aujourd'hui... bien aujourd'hui, je réfléchis d'abord... et je réfléchis que je ne sais pas monter!

— Viens, Zan... tu peux tout faire! Si tu le veux!

Alors, je suis montée... Une jambe, puis l'autre... puis j'ai donné un petit coup de talon! Et un autre... Et on est partis! Ensemble, Oleg et moi!!!!!!!!! Au galop!

À travers les champs!

Et c'était... c'était...

La liberté!!!

LA LIBERTÉ!!!!!!!!

Note à moi-même : Je dois raconter tout ça à Filis. Tiens, mon prochain code secret sera Sauvage 🖱 !

22 h 47

Je ne peux pas dormir !

Je suis trop excitée !

Je me revois encore sur le cheval, au galop, les cheveux dans le vent et dans les yeux !

Je ne pourrai jamais dormir !

Il me semble que j'ai tellement d'énergie que je pourrais vaincre, à moi toute seule, tous les ennemis de Spider, de Superman et des autres *mans* ! ! ! ! !

Et je VAIS les vaincre ! ! ! ! !

À nous deux, Baltazar !

Je n'ai pas peur de toi !

8 SEPTEMBRE

Aujourd'hui, il pleut !

Aucune importance !

Parce que j'ai encore du soleil dans ma tête !

Et j'ai toujours la même énergie !

Et puis, tiens, la pluie, ça me donne une idée !

Une bonne idée ! ! !

Pour mes amis de la roulotte ! ! !

Parce qu'eux, ils ont tous la mine basse ! ! !

Ils ne sont pas heureux !

Je vais leur remonter cette mine-là, moi !

Allez, Zan, il y a beaucoup à faire aujourd'hui !

8 h 45

— Monsieur Baltazar !

— Zan, tu commences à m'ennuyer beaucoup ! BEAUCOUP TROP !!

— Je sais. Mais... vous savez, pour les aiguilles ? Les aiguilles à coudre ! Si vous allez en ville aujourd'hui, j'aimerais venir avec vous !

— NON.

J'insiste. Je DOIS aller en ville !

— Monsieur Baltazar ! Regardez comme on se donne beaucoup de mal pour faire de beaux costumes ! On ne peut pas arrêter tout simplement parce qu'on n'a plus d'aiguille !

— D'accord ! T'as raison sur un point, Zan ! Je préfère te garder près de moi, sous ma surveillance ! Mais ATTENTION ! Si je te prends encore dans une de tes entourloupettes, je t'envoie dans un pays dont tu ne reviendras jamais, JAMAIS ! Compris ?

— Compris.

— Viens ! Je pars maintenant !

Gagné !!!

10 h 48 — Baltazar n'a pas dit un seul mot de tout le voyage en camion. Je ne me sens pas bien avec lui. Il a quelque chose de mauvais, de vraiment mauvais en lui. Je me sens prisonnière, toute seule avec lui, dans son camion. Heureusement, on a fini par arriver en ville!

Déjà réglé, l'achat d'aiguilles! Ça n'a pas été très long! Je suis allée voir la marchande du bazar, elle m'a vendu tout un tas d'aiguilles. On va avoir une réserve jusqu'à la fin des temps! Parce qu'on ne les avait jamais vraiment perdues, les aiguilles! C'était juste une histoire que j'ai inventée pour que Baltazar m'amène en ville!

Maintenant, il m'a laissée seule à l'ordinateur du café. Il est sûrement allé traiter de grandes affaires!

Parfait! Moi, j'ai le temps de prendre mes messages!

J'ouvre ma page perso, code Sauvage.

Surprise! Surprise! Il y a un message de Sofi, la petite Sofi qui a disparu du SAS!

SOFI@ZAN

Zan! C'est Sofi! Je n'ai pas beaucoup de temps! C'est terrible! Tu ne devineras jamais!
Je ne suis plus au SAS! Je ne suis même plus dans mon pays! On m'a envoyée loin, très, très loin! J'ai fait des heures d'avion et de train! Je ne sais même pas

dans quel pays je suis! Zan, aide-moi!
Je veux retourner chez moi! Je veux
retourner au SAS! Je n'aime pas du tout
le cirque où on m'a envoyée! Je suis au
Cirque Azara. Tu connais? Moi pas. Je
sais seulement que je suis arrivée dans
une grande ville qui ressemblait au
Moyen Âge, avec un vieux pont de
chevaliers qui s'appelle le pont
Charles, avec pas loin un vieux
château fort médiéval qui surplombe la
ville. C'est le château de Praille
ou de Prague, je ne sais pas. Et
puis, j'ai aussi traversé d'autres villes,
Varsovie, Budapest, une ville
qui s'appelait Scupi avant, Bucu-
resti. Il paraît que ça veut dire
«joie». Mais moi… moi, je n'ai pas envie
de rire.
Toutes les villes que je traverse depuis
sont aussi au Moyen Âge. C'est magique,
mais moi, j'ai trop peur. Est-ce que j'ai
juste changé de pays ou est-ce que j'ai
aussi fait un voyage dans le temps?
Peut-être que je ne reviendrai jamais…
Aide-moi, Zan!
Aide-moi!
Ne me laisse pas ici toute seule!
Aide-moi!

«Aide-moi! »
Aide-moi…

Mon cœur chavire!

Si petite pour avoir si peur!

Sofi!

Ma Sofi!

«Aide-moi!»

Mais comment? Comment, pauvre Sofi?

En tout cas, c'est obligatoire, il faut garder le contact avec elle. Et essayer de lui garder un peu le moral aussi.

Zan@Sofi
Sofi, ne crains rien! Je te retrouverai. Continue de m'écrire! ET SURTOUT, CONTINUE DE NOTER TOUTES LES VILLES OÙ TU VAS! C'est indispensable! Tiens bon!

Première étape faite! Deuxième étape maintenant!

Zan@tous
Zan@Filis
Tout le monde au travail! J'ai vraiment besoin d'aide! D'AIDE URGENTE! Filis, j'ai retrouvé Sofi! Ils l'ont envoyée au bout du monde, elle aussi! Nous DEVONS trouver où elle est! Regardez sur mon blogue, son message, les villes où elle est passée. Faites comme pour moi. Essayez, avec Troouve, de trouver de quelles villes elle parle et placez-les

sur une nouvelle carte de *Planète Troouve*. Peut-être que je suis près d'elle, on ne sait jamais! C'est un espoir! J'attends vite de vos nouvelles!

Bon, une deuxième chose de faite. Très bien! Oups! Il y avait un message de Filis que je n'avais pas vu!

FILIS@ZAN

Zan, j'ai essayé de fouiller au SAS pour savoir s'il y a un lien entre le SAS et le Cirque Nomade, comme tu me l'as demandé. Je n'ai rien trouvé. J'ai seulement entendu monsieur Trempe, le directeur, parler avec des messieurs assez louches. Il parlait de nous et il a mentionné un nom: «International artistes de cirque». J'ai cherché sur *Troouve*. Je n'ai rien trouvé. Peut-être que j'ai mal cherché! Peux-tu regarder aussi? Ou peut-être que j'ai mis les mots dans le mauvais ordre? Peut-être que c'est plutôt «Artistes internationaux»? Zan, je suis désespéré! Toi disparue, Sofi disparue, ici, tout est terrible! Pourquoi le monde est-il si mauvais?

Il ne FAUT pas que Filis désespère! Il ne faut pas qu'il arrête de se battre! S'il arrête, on ne s'en sortira pas! J'ai besoin de tous les soldats en état de marche! Il faut que je trouve comment le garder en forme, en vie, en espoir! IL LE FAUT!

ZAN@FILIS
Je vais chercher, moi aussi, pour ton «International machin». En attendant, entre mon code secret: Guitare 🎸 et écoute la musique que je viens de faire! C'est du Bach! Il y a un vieux monsieur qui joue du violon ici. Il s'appelle monsieur Bach, comme le compositeur! Et il joue souvent du Bach! Alors, je vais lui faire une surprise. Écoute d'abord une vraie version normale, classique, du grand musicien Bach. Et ensuite, écoute MA version! Tu vas rire! Tu crois que cela lui fera peur? ☺

Bon, voilà qui devrait l'occuper à quelque chose d'heureux! Autre chose maintenant, la suite! J'ouvre vite *Troouve*.

Je tape «Boris le clown». Le petit moteur de recherche tourne à plein régime! Voilà! Le Cirque des Saltimbanques. 🎸 Il est maintenant au Cirque des Saltimbanques!

Mais je n'ai pas le temps de lire et de regarder les images sur le site! Je cherche une adresse, une adresse où essayer de rejoindre le fameux Boris le clown! Zut! Où est-ce qu'ils ont mis les adresses sur le site! Clic ici, clic là! Une adresse postale ! À Kiev ! 🖱 Je ne connais pas ! Bon, mais ce n'est pas ce que je cherche ! Ce que je veux, c'est une adresse Web. Pour écrire à Boris.

— Mademoiselle ! Mademoiselle !

Je sursaute. Qui m'appelle comme ça, ici ?

Oh ! C'est la dame du restaurant. Elle me parle ! Je ne comprends pas ! Elle me montre un homme, puis l'ordinateur.

Je comprends. Le monsieur veut l'ordinateur ! Maintenant ! NON ! NON ! NON ! Je DOIS trouver l'adresse Web de Boris avant de partir !

Rien à faire ! La dame insiste ! Il faut que je me déconnecte !

Je n'ai pas eu le temps de trouver l'adresse Web !

C'est tragique !

Parce que je crois que Baltazar ne voudra plus jamais me ramener en ville ! Et sans ordinateur, sans Internet, je ne peux rien faire !

Je suppose que je suis mieux de retrouver Baltazar. Où est-il ? Juste de penser au voyage de retour avec lui dans le camion me donne des frissons ! Ouache !

Je l'ai malheureusement trouvé ! Je le vois, assis à la terrasse du restaurant, avec plusieurs messieurs autour de lui.

Ah non ! Ah non ! Pas encore !

Il refait le même coup !

Il est en train de ramasser de l'argent, plein d'argent des autres hommes ! Ce que ça veut dire, pour nous, c'est qu'il prépare en cachette un autre de ses spectacles terribles qui ont pour seul but de nous mettre en danger ! On ne peut plus continuer comme ça ! C'est sûr, il y aura un accident ! Un GRAVE accident, la prochaine fois !

Et à qui le tour, cette fois-ci ?

Les jumelles encore ?

Oleg ?

Jo ?

Moi ?

À qui le tour de se mettre en danger ?

14 h 45 — On roule dans la vieille guimbarde de Baltazar.
Le cirque est encore si loin !
Moi !

Il me l'a dit ! Baltazar me l'a dit !

Ce sera moi qui serai en piste, le prochain spectacle à un seul numéro ! Celui que les spectateurs viennent voir seulement pour assister à nos accidents !

— Ce soir ? ai-je demandé avec angoisse. Ce soir, le spectacle ?

— Non. Pas ce soir ! Demain soir ! Tu as une journée complète pour pratiquer ton nouveau numéro.

— Quel nouveau numéro ?

— La super-chute! Tu feras l'ange et, ensuite, tu te laisseras tomber avec la super-chute!

La super-chute! Le saut de la mort! Et sans filet de sécurité au sol! La super-chute! Où on descend en se déroulant des soies, à une vitesse vertigineuse!

Si seulement mon nouveau costume était prêt! Si seulement!...

J'ai tellement peur que mon cerveau est en train de devenir fou!

Il faut que je me calme!

IL FAUT que j'arrive à me calmer!

Me calmer!

Force-toi, Zan! Calme ton cerveau, tes mains qui tremblent! Et en plus, tu vas te mettre à pleurer! Je suis au bord de la crise!

Qu'est-ce que je peux faire?

Il faut que je m'occupe! Il faut que je m'occupe!

Je n'ai rien! Je n'ai rien pour m'occuper!!!!!

Non, ce n'est pas vrai! J'ai quelque chose! J'avais oublié!

Juste au moment où je sens que mes larmes vont se mettre à couler, je sors de ma poche les aiguilles à coudre toutes neuves, du fil et des bouts de tissus que m'a donnés la marchande en cadeau!

Je m'occupe à faire quelque chose d'utile!

Je commence à jouer avec mes chiffons, commence un premier point, puis le deuxième...

Quand on arrive enfin au cirque, j'ai fini une pièce. Une pas mal belle pièce, en plus, une œuvre! Une œuvre utile aussi!

Je suis aussi paniquée qu'avant. Mais je me suis un peu calmée. Assez pour retenir mes larmes devant Baltazar!

14 h 55 — De retour dans ma roulotte! Au moins, ici, je suis un peu en sécurité!

— Oleg! Baltazar va donner un autre spectacle demain soir! Un spectacle à un seul numéro! Tu sais ce que je veux dire!

— Oui. Oui, je sais ce que ça veut dire, Zan... Tu sais, on ne pourra plus éviter les accidents graves encore bien longtemps, Zan. Il faut trouver une solution. Et qui fera le numéro cette fois-ci? Pas les jumelles j'espère? Parce qu'elles n'en peuvent plus, les petites! J'ai dû les consoler toute la journée!

— Non. Pas les jumelles! Moi!

— Toi! Non. Non. Je ne le veux pas. JE NE LE VEUX PAS! J'irai voir Baltazar et je lui dirai que ce sera moi, pas toi!

— Il ne t'écoutera pas, Oleg! Il veut que ce soit moi. Et il veut que j'exécute la super-chute! La super-chute aux soies!

— Mais il est fou!

— Oui! Je crois vraiment qu'il est fou!

— Qu'est-ce qu'on fait? Ton costume ne sera pas prêt à temps pour demain! Qu'est-ce que je

peux faire pour t'aider? Zan! Il faut ABSOLU-
MENT prévoir quelque chose! Une sécurité! Tu
vas te tuer!

— Je ne sais pas, Oleg! Je ne sais pas quoi
faire! Mais je vais y penser. N'en parle pas aux
autres! Ils sont déjà assez angoissés comme ça!
D'ailleurs...

— D'ailleurs?

— Tu sais, Oleg! Nous sommes tous terriblement énervés! Et c'est dangereux pour nous!
Plus on s'énerve, plus il y aura des accidents! Et
moins on trouvera de solutions. Il faut qu'on se
calme! Et il n'y a qu'une façon d'y arriver! Moi,
je ne vois qu'une façon d'y arriver!

— Comment? On ne peut pas s'enfuir!

— Je sais! Mais on peut faire une fête!

— Une fête? Mais t'es folle? Une fête maintenant?

— Oui. Ce soir! Dans la roulotte! ON FAIT
LA FÊTE!

Quand je le quitte, il me suit avec de grands
yeux de poisson frit!

17 h 45 – Dans le chapiteau. Toute seule!

Comment est-ce que je peux bien réussir cette
super-chute sans me faire mal? Je sors mon petit
carnet de notes.

La super-chute!

1. Fais la grenouille.
2. Tiens le tissu avec tes mains (fort!) et décroche la jambe du haut pour la passer derrière le tissu (celui tenu par la jambe du bas).
3. Remonte et refais la grenouille.
4. Fais un tour autour de ta taille.
5. Tends le bras et tiens le tissu (vers le bas).
6. Décroche la jambe du haut, et tout ça va dérouler jusqu'en bas!

Ouais!... Est-ce que je m'essaie? Non. Je ne m'essaie pas.

Il y a du bruit dans le chapiteau! Je ne suis plus toute seule!

Je ne sais pas pourquoi, l'instinct. Je me recule un peu pour qu'on ne me voie pas.

Baltazar!

Je l'observe en restant cachée! Qu'est-ce qu'il fabrique encore?

Il regarde attentivement mes soies! Il grimpe jusqu'en haut! Il passe un bon moment à regarder les nœuds qui tiennent les soies attachées au sommet.

Est-ce qu'il est en train de vérifier que mes soies sont bien attachées? Pour que je ne tombe pas?

Ou bien, est-ce qu'il fait autre chose?

Il redescend. Il commence à inspecter le chapiteau. Si je ne sors pas d'ici, il va me trouver.

Je sors en rampant sous la toile de la tente.

Pour ne pas me faire remarquer, je rejoins les autres au souper.

18 h 12 — Au souper!
Patates et jus de patates!

— Monsieur Bach!

— Oui, petite Zan!

— Venez dans notre roulotte, ce soir! Et apportez votre violon! On donne une petite fête!

— Une fête! Quelle fête? Pourquoi une fête?

— Parce que... parce qu'il a plu toute la journée! Et qu'on est tous un peu déprimés! Alors, autant faire de la musique! Vous ne croyez pas?

— Oui... c'est une bonne idée! Une excellente idée! Tu as toujours d'excellentes idées, Zan! Pas capable de faire du mal à une mouche, mais toujours énergique!

20 h 37 — La fête dans la roulotte. J'espère
que la musique pourra aider tout le monde!
Parce que les jumelles sont à bout,
Jo ne parle plus et Oleg est tellement sombre
qu'il ressemble à la nuit! Quant à moi, dès que
j'arrête de bouger, la peur me reprend!
Ils sont tous assis sur la couchette de Jo, celle qui est presque dans la toilette. J'ai sorti mon synthé-

tiseur ! Monsieur Bach a apporté son violon ! J'ai ma petite idée pour leur faire plaisir et les faire rire ! Je veux qu'ils entendent la musique que j'ai envoyée à Filis aujourd'hui sur ma messagerie ! Si cette musique peut faire rire Filis, elle fera peut-être de l'effet ici aussi !

— Monsieur Bach ! À vous d'abord ! Jouez-nous, vous savez ce morceau de Bach que vous jouez si bien !

— D'accord !

Il commence… il joue la pièce ! Magnifique ! Le son est si… si soyeux, au violon ! Les jumelles retrouvent leur sourire, qui a un trou au milieu ! Bon ! Mon idée fonctionne ! C'est vrai ça, quand la situation est désespérée, il vaut mieux faire de la musique ou danser ! Puisqu'il n'y a rien d'autre à faire !

À mon tour maintenant !

Je mets mes doigts sur le clavier, je prends une grande respiration et je me lance !

La sol laaaa

Sol fa mi ré do dièse ré…

C'est la même pièce que celle que vient de jouer monsieur Bach ! Mais cette fois, à la façon Zan !! 🎵 Quel effet !! DRAMATIQUE ! Tous mes spectateurs ont la bouche grande ouverte, même monsieur Bach !

— Zan ! parvient-il juste à prononcer, monsieur Bach, quand j'ai fini de jouer ! Zan ! C'est … C'est…

— Un peu sauvage, oui je sais, et j'éclate de rire! Est-ce que vous aimez, monsieur Bach?

— Euhhh... oui! Oui, je crois bien que oui! Je ne sais pas si le vrai, le grand Bach aurait aimé entendre sa musique aussi... sauvage, comme tu dis, mais c'est beau!

— Je ne suis pas sûre qu'il aurait aimé! Mais des fois, il faut s'amuser avec les notes! C'est fait pour ça! Regardez! Même les jumelles ont aimé!

Et, pour la première fois depuis que je suis au Cirque Nomade, monsieur Bach rit! Il rit! Il rit même tellement qu'on dirait que son œil aveugle n'est plus aveugle. Il brille!

— Bien, je continue, puisque c'est la fête, j'ai une surprise pour vous! Et je fouille dans mon sac pour en ressortir... pour en ressortir!...

— TADAMM! La Roulotte-soleil!

Et je leur montre la pièce de couture que j'ai fabriquée dans le camion de Baltazar, en revenant de la ville. Une couture, une sorte de drapeau rouge, avec un gros soleil jaune dans le milieu! En dessous, j'ai écrit: LA ROULOTTE-SOLEIL! BIENVENUE!

— Venez! On va la poser sur notre roulotte, près de la porte! Maintenant, c'est le nom de notre maison: la Roulotte-soleil!

— Super, fait Jo, qui recommence à sourire lui aussi.

— Zan, fait Oleg, qui comprend que j'essaie de mettre un peu de gaieté dans notre vie ! Zan, il y a un problème !

— Quel problème ? je fais en fronçant les sourcils.

— Le problème, c'est qu'il faudrait écrire BIENVENUE dans toutes les langues parlées ici ! Le roumain Bine ati venit, pour les jumelles, le russe, le...

— L'arabe, fait Jo.

— L'arabe ?

— Bien oui... je viens de Tunisie. L'arabe, c'est ma première langue !

— Ah ! Je ne savais pas ! Désolée ! Où est-ce la Tunisie ?

— Au sud. Très loin... Là où il y a de belles oranges et du soleil... Du vrai soleil !

Oups ! Jo redevient triste ! Il faut changer ça en courant !

— Bonne idée, Oleg, pour les langues ! Demain, tu me traduis tout, et on fabriquera les nouvelles lettres ! Et comment est-ce en arabe, Jo ? « Bonjour » en arabe ? *Salam* ?

Et il sourit de nouveau.

Ouf ! J'ai eu peur, un moment, d'avoir raté mon coup ! D'avoir raté mon coup de faire fuir la tristesse !

C'est drôle, des fois ! Juste un petit mot de rien du tout suffit à faire sourire ! À faire sourire Jo !

Pas un gros effort!

23 h 34

On a fait de la musique toute la soirée! Le moral
est parti de zéro degré Celsius, au début de la
soirée, dans la Roulotte-soleil, pour monter au-
dessus du 40 degrés Celsius quand on s'est mis
au lit! Chaud, chaud, chaud!

Même monsieur Bach avait l'air tout content.
Qu'est-ce qu'il joue de la belle musique, celui-
là! De la musique «rom», qu'il m'a dite. J'ai
tiqué, à cause de Rom, mon ancien entraîneur
du SAS. Il portait ce nom-là. Il faut absolument
que je demande à monsieur Bach de m'apprendre à jouer cette musique!

Je suis contente.

J'ai réussi à éloigner les nuages noirs!

Sauf pour moi!

Moi, toute seule dans mon lit, maintenant que
la fête est finie, je ne vois que des nuages noirs.

0 h 22

Je me réveille en sursaut! Mon cœur va exploser!
J'ai fait un cauchemar! Le plus terrible cauchemar
de toute ma vie! Je faisais la super-chute, je
décrochais..., mais je décrochais de tout... je
tombais à pleine vitesse vers le sol! Me cassais
la tête! Je m'écrasais en purée!

Et pendant ma chute terrible, Baltazar volait
tout autour de moi pour me faire tomber plus

vite... Il riait! Riait! De toutes ses forces!... Il volait, il volait comme une mouche et...

Comme une mouche?

Ah! C'est ça!

Je soupire.

Ce n'est pas Baltazar! C'est une mouche, une vraie! Une mouche qui tourne autour de moi dans la roulotte! Va-t'en, sale bestiole! Laisse-moi dormir! Tu me fais peur!

Je rentre sous mes couvertures. Elle continue de tourner. Mon cauchemar va revenir! Et puis, à cause de la nuit, du silence, tous mes problèmes me reviennent d'un seul coup... le spectacle de demain... notre sort à tous, dans la Roulotte-soleil, prisonniers d'un fou qui rit, l'incapacité de s'enfuir, le découragement de monsieur Bach, le seul qui aurait pu nous aider... Sofi qui est perdue quelque part, toute seule, dans un pays inconnu... mes mains qui recommencent à trembler de peur...

Comme je suis loin, loin, loin, loin de chez moi, de maman, de mon monde, du SAS... seule... seule... seule... Seule dans une roulotte, la nuit, avec une mouche-Baltazar qui rit parce qu'on se fait mal!

Elle n'arrête pas de tourner autour de moi, celle-là!

En riant!

En riant, avec la bouche tordue et le mauvais rire de Baltazar...

Monsieur Bach a dit ce soir que je ne pourrais pas faire de mal à une mouche. Je me demande…

0 h 32
Clac !

Fini la mouche !

J'ai fait mal à une mouche.

Mais je l'ai éliminée !

Elle ne rira plus de moi !

Elle ne rira plus de nous !

Avec le rire de Baltazar !

Reclac !

9 SEPTEMBRE

7 h 22 — Déjà dans le chapiteau. Ce soir, c'est mon numéro terrible ! Demain, à cette même heure, je serai peut-être toute brisée en morceaux, qui ont mal !

Il faut que j'essaie cette super-chute ! Mais je n'arrive pas à monter très haut !

J'ai trop peur sans filet !

Et chaque fois que j'essaie, je tombe ! Je ne fais pas une super-chute !

Je fais une chute tout court !

Bang ! Sur le sol dur !

Oleg et Jo me surveillent.

Ils sont très soucieux.

Moi aussi.

Je n'en peux plus! Je suis déjà à bout de force!

Je m'arrête un moment! Mes épaules sont comme des spaghettis mous! Je crois que je suis trop nerveuse. J'ai les muscles trop tendus de peur. Il faut que je règle ça! Je ne serai jamais prête ce soir!

Monsieur Bach est là. Il m'a observée pendant un long moment. Il ne rit plus, comme il riait hier soir. Il est redevenu vieux, vieux.

— Zan!

— Oui, monsieur Bach!

— Tu crois que tu y arriveras, pour ce soir? Pour le spectacle?

— Je ne sais pas, monsieur Bach! Je vais essayer.

— Zan, j'ai réfléchi toute la nuit... toute la nuit! Je n'en peux plus! Je ne peux plus vous voir risquer votre vie! Ta fête d'hier soir...

— Dans la Roulotte-soleil!

Ça ne le fait même pas sourire.

— Oui, dans la Roulotte-soleil... Cette soirée m'a rappelé le Cirque Nomade AVANT, le Cirque Nomade avec Boris le clown comme maître du cirque... Tous les soirs, il y avait une fête. Personne n'avait peur... Zan! J'ai réfléchi. Je crois qu'il faut absolument prendre contact avec Boris. Boris le clown. Je crois qu'il peut nous aider.

— J'y ai pensé, monsieur Bach. Hier, j'ai cherché une adresse où le joindre... par Web.

— Par quoi???

— Par Web, monsieur Bach! Vous ne savez pas ce que c'est?

Bien sûr, idiote, qu'il ne sait pas ce que c'est que le Web! Comment monsieur Bach, avec son violon, ses vieux vêtements de paysan, monsieur Bach qui sait parler aux chevaux, fait des aiguilles à tricoter avec des morceaux de bois, du feu même sans allumettes et du sirop sucré qu'il n'achète pas à l'épicerie, comment, dans son monde, monsieur Bach pourrait-il connaître le Web? Monsieur Bach vient d'un autre siècle, du siècle d'avant. Monsieur Bach, il est comme une peinture dans un musée que j'ai déjà visité avec mon école. Un musée où il y avait des peintures très anciennes.

Monsieur Bach, c'est sûr, il ne peut pas connaître le Web.

Il connaît plein d'autres choses! Des choses que moi, je ne connais pas. Des choses qui sentent bon, qui n'existent plus et qui sont disparues de la terre. Mais pas le Web!

— Zan, je ne sais pas ce qu'est le... ce que tu dis, le Web, mais je sais qu'il faut trouver Boris! IL LE FAUT! C'est notre seul espoir! Cette nuit, je lui ai écrit une lettre. Je crois qu'il ne me laissera pas tomber si je lui demande de l'aide. J'explique à Boris ce qui se passe ici. Je veux que tu trouves Boris et que tu lui donnes cette lettre.

Et monsieur Bach me remet une petite enveloppe, avec le nom de Boris écrit dessus. Seulement le nom, Boris le clown! Comme si cette adresse était suffisante!

Monsieur Bach me prend les mains, des mains toutes ridées et malheureuses.

— Zan, il ne faut JAMAIS que Baltazar voie cette lettre! Tu dois me jurer qu'il ne la trouvera pas et qu'il ne te verra pas la remettre à Boris! Il ne doit se douter de rien, tu m'entends? Parce que j'ai décrit ce qui se passe ici et si Baltazar le savait, sa réaction serait terrible! Terrible pour vous tous, Zan! Tu dois me le jurer!

Et tout à coup, il y a des larmes dans les yeux de ce vieux monsieur.

— Je vous le jure, monsieur Bach. Baltazar ne saura rien.

Monsieur Bach s'éloigne en hochant la tête. Il n'essaie même pas d'essuyer ses larmes.

Je regarde l'enveloppe. Boris le clown! Qu'est-ce que je peux faire?

Sans une vraie adresse et dans une ville que je ne connais pas! Et sans moyen de transport.

14 h 57 — Un après-midi de chien !
Il n'arrête jamais de pleuvoir ! Il pleut même
sous le chapiteau. Mes soies commencent à
être mouillées ! Je n'arrive même plus à les
tenir ! Ça me fait trop mal !

Mais je recommence et recommence. Monte, descend, enroule, décroche, monte, descend, enroule, décroche... Je ne sais pas ce que je ferai ce soir, pour le spectacle. Mais ce que je sais, c'est qu'à moins de trouver où m'enfuir, loin de Baltazar, je n'aurai pas le choix. Je devrai monter dans ces soies mouillées et faire le spectacle de ce soir !

Mon cerveau est en train de devenir fou à force de réfléchir à une solution ! Personne pour m'aider : j'ai une lettre, mais je n'ai pas un moyen pour la livrer ! Je ne peux pas m'enfuir ! Pas d'argent, pas d'avion, pas de passeport...

Je reviens toujours à Baltazar... Baltazar, Baltazar et encore Baltazar !

C'est lui, la source du mal.

Mais il est si puissant !

16 h 22 — Dans un chapiteau où il pleut,
où la lumière baisse tellement que je ne vois
plus rien...

Je n'en peux plus ! Il n'y a rien à faire ! Mes soies sont mouillées, mes mains sont coupées, mes jambes et mes bras sont sans force.

Et le spectacle est dans quelques heures.

Je n'y arriverai pas !

Il vaut mieux me réfugier dans la Roulotte-soleil ! Avec mes amis...

16 h 45 — De retour *chez moi*, dans la roulotte. Oleg se lève, vient tout de suite vers moi et se met à chuchoter :

— Zan, Jo et moi avons quelque chose à te dire ! Viens plus près ! Personne ne doit entendre !

— Écoute, Zan !, commence Jo. Tu sais, pour mon fil et l'unicycle, quand je suis tombé ?

— Oui, tu disais que quelque chose t'a fait tomber. Que tu n'étais pas tombé tout seul !

— Oui, eh bien, je suis même allé vérifier. Et voilà ce que j'ai trouvé sur le fil.

Et Jo me sort de sa poche... une gomme... Une gomme à mâcher !

— Voilà Zan ! Quelqu'un, sûrement Baltazar, a collé ce morceau de gomme sur mon fil. Alors, évidemment, lorsque ma roue d'unicycle l'a accroché, je suis tombé !

— Moi aussi, Zan ! poursuit Oleg. Je suis allé vérifier ma barre de trapèze. Tu sais, mes mains glissaient sans arrêt ?

— Oui, je t'ai vu. Je ne comprenais pas !

— Moi non plus. Alors, je suis allé regarder de plus près. Et j'ai trouvé un nœud !

— Un nœud ?

— Oui. Un tout petit nœud dans la corde qui soutient le trapèze. Si bien que le trapèze n'était plus parfaitement horizontal. La barre était croche! Et voilà pourquoi je glissais sans arrêt!

— Baltazar aussi?

— Qui veux-tu que ce soit d'autre? Oui, Baltazar. Aussi, Jo et moi croyons que Baltazar pourrait aussi trafiquer tes soies ce soir.

Juste à ce moment, la porte de la roulotte s'ouvre violemment!

Un Baltazar en furie se pointe par la porte.

— Zan, viens avec moi!

— Mais je dois retourner me pratiquer, monsieur Baltazar.

— Non. C'est fini la pratique. Tu ne remontes plus dans tes soies! Et tu restes à côté de moi, jusqu'au spectacle. Je ne te perdrai pas de vue une seule seconde! Allez, viens! MAINTENANT!

— Mais...

— Il n'y a pas de mais! Tu viens avec moi. Et je ne te quitte pas d'une semelle jusqu'à ton spectacle de ce soir!

Je n'ai pas le choix! Il faut que je le suive!

Je jette un coup d'œil en partant vers Jo et Oleg.

Ils sont désespérés!

18 h 45 — Assise prisonnière, dans la roulotte de Baltazar.

Pas moyen!

Juste pas moyen de m'enfuir, même une petite minute!

Je repense à ce que m'ont dit Jo et Oleg.

Et je me souviens très bien !

Je me souviens très bien que moi, j'ai vu Baltazar en train d'examiner mes soies.

Hier.

Il n'était sûrement pas là pour vérifier que je serais en sécurité !

Non. Si Baltazar regardait mes soies, c'est qu'il avait un plan en tête.

Et ce plan, je commence à comprendre ce que c'est !

Je ne trouve aucun moyen d'aller vérifier mes soies !

Mais il le FAUT ! Il faut que je trouve !

19 h 32 — Il ne me laisse pas sortir de sa roulotte. Il me regarde avec un air ricaneur.
Il faut absolument que je me sauve une minute ! Le spectacle commence dans une demi-heure.

Je DOIS absolument vérifier ce qu'il trafiquait là-haut, avec mes soies !

19 h 54 — Spectacle dans 4 minutes.
Juste quelques hommes dans la salle.
Comme d'habitude. Comme chaque fois qu'il y a un accident !

— Où étais-tu passée, Zan ? Baltazar te cherche partout !

Jo est tout énervé !

— J'étais allée mettre mon costume de spectacle. Baltazar a bien dû me laisser sortir de sa roulotte une minute !

— Zan, fait Oleg...

— Ne dis rien Oleg, je sais ce qui va se passer.

— C'est terrible, Zan ! Terrible !

— Je sais, Oleg. Jo, peux-tu me rendre un service ?

— Tout ce que tu veux, Zan !

— Tu veux bien faire comme l'autre soir ? Tu sais, quand tu as décrit mon numéro dans mon journal ! Pendant que je le faisais ?

— Bien sûr, Zan ! Mais je préfère te surveiller, avec Oleg. Au cas où...

— Je veux que ce qui se passe soit écrit. Comme ça, on aura une preuve...

— D'accord ! Donne-moi ton journal ! Attention ! Voilà Baltazar et son tambour !

20 h 4 — *Description du numéro de Zan écrit par Jo*

Baltazar roule le tambour.

Il annonce le numéro de Zan !

Je sais que Zan aussi va se faire mal.

Je le sais.

Elle entre en piste. Elle s'approche de ses soies, tire un peu dessus comme pour les tester. Est-ce qu'elle sait quelque chose ? Est-ce que Baltazar a vraiment brisé les soies ? Pour qu'elle tombe ?

Oh ! Que je voudrais arrêter tout ça !

Zan est blanche.

Elle commence à monter. Elle monte, elle monte en faisant la chenille. Jusqu'ici, tout va bien !

Je sais qu'elle doit faire l'ange et ensuite la super-chute. Les hommes du public rient.

Braaaaoummmmm !

J'ai eu peur. C'était juste Baltazar et son tambour.

Zan est maintenant en haut, tout en haut. Elle ne bouge pas !

— Zan ! crie Baltazar. Bouge ! Saute !

Ça y est ! Elle prend un élan et se balance. Elle enroule les soies autour d'elle. Elle se laisse tomber, la tête en bas.

Oh ! Son pied gauche est sorti de la soie !

Elle arrive à se reprendre. Mais elle a toujours la tête vers le sol, en bas. Elle fait un grand écart !

— Et maintenant ! La super-chute ! crie Baltazar.

Braoummmmm !

Elle ne bouge plus ! Toujours la tête en bas, comme si elle n'arrivait plus à se remettre à l'endroit... Et elle se tient par un seul pied ! Si elle tombe comme ça, c'est sûr, elle se fracasse la tête !

Zan ! remets-toi à l'endroit ! Redescends, je t'en supplie !

Oh ! Oh ! Non !

Elle a un sursaut ! On dirait... on dirait qu'une soie... que la soie qui la retient est en train de se déchirer.

Oui ! C'est ça !

Sa soie s'est déchirée !

Qu'est-ce qu'il fait, Baltazar ? Qu'est-ce qu'il fait ? Il faut qu'il arrête tout ! Il faut qu'il aille la recevoir dans ses bras ! Elle va tomber ! Presque plus rien ne la retient !

Je regarde Baltazar !

Il sourit !

Il sourit d'un mauvais sourire !

Zan a toujours la tête en bas !

Vite, Zan ! Vite, Zan ! Plus une seconde à perdre ! Ta soie se déchire !

Ça y est ! Elle est partie ! Elle se déroule à une vitesse folle !

Elle descend, elle descend !

Pourvu que la soie tienne ! Pourvu que la soie !…

Non ! La deuxième soie vient de lâcher ! Zan tombe !

21 h 3 — Couchée dans mon lit, dans la Roulotte-soleil. J'ai des bandages autour de la tête. C'est monsieur Bach qui les a faits. Oleg m'a nettoyé le visage. J'avais du sang. On essaie de tenir les jumelles à distance pour qu'elles ne voient pas ça !
Je suis tombée, mais pas du sommet.

Je suis parvenue à me rendre pas loin du sol avant que la soie ne déchire complètement.

Un miracle ! Sinon…

Je revois le visage de Baltazar quand il a compris que je réussissais à ne pas tomber d'en haut.

Je revois son visage !

Il était dans une colère ! Une colère que je n'oublierai jamais !

Les spectateurs l'ont entouré ! Eux, ils étaient au comble du bonheur ! Au comble !

Avant de quitter le chapiteau, dans les bras d'Oleg, j'ai juste eu le temps de voir Baltazar. Toujours aussi en colère, il a sorti un gros paquet de billets de sa poche et a commencé à donner de l'argent aux spectateurs.

Moi, je commence à comprendre ce qui se passe ici !

Minuit — Dans la roulotte.
Les environs du cirque sont calmes
maintenant. Baltazar doit dormir !

— Oleg ! Jo ! je chuchote.

— Zan, tu vas mal ? s'inquiète Oleg.

— Non. Venez avec moi, tous les deux, Jo et toi. Je vais vous montrer ce qui s'est passé ce soir. Ce qui s'est vraiment passé !

Oleg me porte encore dans ses bras parce que je suis trop étourdie pour marcher. Je les ramène sous le chapiteau !

Ma soie déchirée est encore sur le sol.

Je prends le bout de la soie qui était le plus haut, le bout qui s'est déchiré !

— Regardez !

— Mais... mais qu'est-ce que c'est, Zan ?

— Ça, Oleg, c'est une couture. Une couture que j'ai faite en quelques secondes avant mon numéro.

— Mais pourquoi ? Pourquoi une couture ?

— Cet après-midi, j'ai vu Baltazar en haut, en train de jouer avec les soies. J'ai compris qu'il les sabotait. Je n'ai réussi à aller vérifier que quelques secondes avant le spectacle, quand je suis allée mettre mon costume de scène ! Je suis montée là-haut et j'ai vu...

— Il avait coupé tes soies ?

— Oui. Baltazar avait à moitié coupé les deux soies ! Pour qu'elles se déchirent en plein milieu du numéro !

— Coupé ! Mais c'est... c'est terrible ça ! Tu aurais pu te faire très mal !

— Oui, je sais, si je n'avais pas vérifié et si je n'avais pas eu le temps de recoudre un peu...

— Zan ! fait Oleg, terriblement sérieux. Cette fois, ça va trop loin. Il faut arrêter ça ! Il nous faut de l'aide !

— Je sais, Oleg. Je crois qu'on n'a plus le choix !

— Mais qui nous croira ? fait Jo, désespéré. Qui croira des enfants sans parents ? On ne sait même pas pourquoi Baltazar fait ça. On ne peut rien expliquer !

— Moi, je dis, je crois que je commence à comprendre. Mais pour le moment, c'est vrai, on n'a aucune preuve et personne ne nous croira.

— Alors qu'est-ce qu'on fait? demande Jo. Il faut s'enfuir d'ici avant qu'il nous arrive malheur!

— Oui, tu as raison Jo. Il faut partir d'ici! Et au plus vite!

— Mais comment, Zan? Comment?

— Retournons dormir que je leur dis. Je suis fatiguée. On n'arrivera à rien cette nuit.

Oleg me ramène, me couche.

Comment s'enfuir ou avoir de l'aide?

Je ne vois vraiment que deux manières. Ou bien, je parviens à récupérer nos passeports dans la roulotte de Baltazar. Mais pour aller où? Ou bien, je parviens à retrouver Boris le clown et à le convaincre de nous aider!

Dans les deux cas, c'est presque impossible.

Mais ce que je sais, c'est que le temps presse.

Je ne peux plus attendre.

Note à moi-même: Je ne me rappelle plus! Est-ce que je leur ai indiqué, à mes amis, la dernière fois que j'étais devant un ordinateur, qu'ils doivent me répondre au nouveau code secret, Tragédie? Je ne me rappelle plus! Commence à perdre le contrôle, Zan!

2 h

Je n'arrive pas à dormir.

J'ai trop mal à la tête. Et puis, je suis angoissée.

Tout me semble impossible à réaliser. Et pourtant, il faut que je trouve. Notre survie en dépend!

Un bruit dehors.

Un bruit de moteur.

Baltazar!

Baltazar qui part dans la nuit, en camion!

Voilà la chance que j'attendais!

Je me lève, fais attention de ne réveiller personne.

Et je sors de ma roulotte.

2 h 38 — La nuit est noire, noire, noire.

Je suis dans la roulotte de Baltazar. J'ai vérifié. Oui, je peux encore parfaitement me cacher dans son placard. S'il revient et qu'il ouvre! Tant pis! Tant pis pour moi! Je n'ai plus rien à perdre!

J'entre dans le placard et je referme la porte. C'est bien ce que je pensais! Une fois dans le placard, je ne vois plus le coffre-fort. J'essaie de pousser les vêtements. Non. Pas moyen! Il n'y a rien à faire! Il va falloir que je perce un petit trou!

Je sors de mon placard. Un trou! Oui, mais avec quoi percer un trou? Je regarde autour de moi. Rien qui me donne une idée! Je n'ai jamais été super forte en bricolage, moi! J'aurais dû faire plus attention pendant mes cours de brico-lage! Je me promets que la prochaine fois que je serai à l'école, je vais écouter religieusement mes professeurs !

Mais bon. Pour l'instant, ce n'est pas ça qui m'aide !

Qu'est-ce qu'il y a autour de moi ?

Un couteau ! Oui, un couteau, ça devrait faire l'affaire.

Oui ! C'est parfait ! Je parviens à gratter un petit trou, en espérant que Baltazar, à son retour, ne le remarquera pas.

Bon. Tout est parfait ! Il ne me reste plus qu'à attendre le retour de Baltazar ! Cachée dans le placard !

Il faut, il faut absolument que je parvienne à découvrir le numéro secret du coffre-fort. Et quand Baltazar ne sera pas là, je pourrai ouvrir le coffre et prendre nos passeports. Alors, on pourra s'enfuir !

J'attends.

J'attends.

Et pour passer le temps trop long, je m'imagine.

Je m'imagine, moi, la grande héroïne ! À la tête de ma petite armée que je viens de libérer du méchant Baltazar !

Je me vois déjà, sur mon grand cheval blanc, comme dans « Le Seigneur des Anneaux », le film !

C'est idiot. Mais rêver, ça passe le temps !

J'attends.

Avec P-A-T-I-E-N-C-E !

La patience, ce n'est pas ma première qualité.

4 h

Toujours pas de Baltazar !

C'est long !

J'étouffe dans mon placard. Et j'ai mal à la tête.

Où est-ce qu'il a bien pu aller ? À cette heure-ci ?

Ça y est. J'entends le camion qui revient.

J'arrête de respirer !

Baltazar entre dans sa roulotte. Moi, je me fais toute petite dans mon placard. Je l'entends bouger des papiers. Je me redresse sans bruit pour mettre mon œil dans le petit trou.

Qu'est-ce qu'il fait ?

Victoire ! ! !

Il s'approche du coffre-fort. Tourne la roulette !

Et je vois ! Je vois tout merveilleusement bien !

Deux tours à droite – 24.

Un tour à gauche – 13.

Un tour à droite – 14.

24-13-14 !

Oups !

Il vient vers le placard !

C'est sûr ! Il doit bien vouloir ranger ses vêtements ! Il ouvre la porte !

Je me cache derrière son vieux costume de paillettes dorées.

Il suspend son pantalon, sa chemise, referme enfin la porte ! Il ne m'a pas vue ! Un miracle !

Je l'entends qui bouge encore ! Bouge encore ! Bouge longtemps !

Ne bouge plus ! Ne bouge plus ? Il est sorti ?

Non ! Il ronfle ! Rrrrrrrrrrron...

Si je veux sortir d'ici sans me faire remarquer, c'est maintenant ou jamais !

J'ouvre très, très lentement la porte du placard. Je mets un premier pied dehors. Un deuxième.

Rrrrrrrrrrrrrrron... Jusqu'ici, tout va bien.

Je me dirige vers la sortie de la roulotte. Je flotte, tellement je ne veux pas qu'il m'entende !

Je mets ma main sur la poignée de porte. Je commence à tourner.

Je m'arrête.

Non. Je ne dois pas sortir... pas sortir sans avoir terminé ma mission. Puisque je suis là, et qu'il dort, aussi bien ouvrir le coffre, prendre les passeports tout de suite... Si je réussis, on pourra tous s'enfuir cette nuit !

Je reviens sur mes pas. Je me baisse face au coffre-fort !

Deux tours à droite – 24.

Un tour à gauche – 13.

Un tour à droite – 14.

Sésame !

La porte du coffre-fort s'ouvre !

Il y a plein d'argent dans ce coffre-fort ! Des piles de billets ! Il est riche, Baltazar !

Et des papiers. Je regarde vite. Tiens, une lettre.

Avec un nom dessus qui me rappelle quelque chose « International du Cirque »...

Qu'est-ce que ça me rappelle ?

Je...

Baltazar ne ronfle plus !

J'arrête.

Je ne bouge plus, je ne respire plus. Baltazar se tourne dans sa couchette.

Je me retourne lentement.

Il est tourné face à moi ! S'il ouvre les yeux, il me voit.

Qu'est-ce que je fais ?

Je me retourne vers le coffre !

Parce que, tant qu'à être ici, aussi bien aller jusqu'au bout !

Et je les vois !

Ils sont tous là, les passeports.

Je prends la pile de petits livres.

— QUI EST LÀ ?

Mon cœur flanche ! Il s'est réveillé !

En un bond, je saute vers la porte et je m'enfuis le plus vite possible...

Mais pas assez vite ! Baltazar me suit et il court encore plus vite que moi ! Il me rattrape pas à pas. Si je n'arrive pas à courir plus vite, il me rattrapera dans 2 secondes! Mais j'ai tellement mal à la tête!

— QUI ÊTES-VOUS? crie-t-il, en courant comme un fou.

Il n'a pas eu le temps de me reconnaître. C'est au moins ça.

Je cours. Mais toujours pas assez vite.

Il faut trouver autre chose!

Me cacher!

Je plonge, avant même de réfléchir, sous la roulotte de monsieur Bach. Je vois les pieds de Baltazar, qui court sans s'arrêter, qui revient, qui tourne autour de la roulotte, qui repart, qui revient et qui tourne encore autour de la roulotte de monsieur Bach! Je vois ses pieds, et il me semble que même ses orteils sont en colère! Il donne des coups de pied partout!

Pourvu qu'il ne pense pas à jeter un coup d'œil SOUS la roulotte!

Il finit par s'arrêter. Reste là un long, un immensément long moment!

Puis, il finit par s'éloigner.

J'attends.

Il ne revient pas par ici.

C'est le moment.

Je rampe sans faire de bruit.

Je rampe en évitant les rayons de lune.

Je rampe, je rampe.

Ma roulotte!

Je me relève d'un bond, et, comme l'éclair, j'ouvre ma porte, saute dans mon lit et ferme les yeux. La porte de ma roulotte a fait du bruit en se refermant.

Je sais, JE SAIS que Baltazar va venir voir.

Il vient, ouvre la porte et s'approche de moi.

Je fais semblant de dormir, de mal dormir, et je mets ma main sur mes bandages à la tête en gémissant.

Mais j'ai peur que Baltazar entende mon cœur, mon foutu cœur qui bat si fort qu'on doit l'entendre jusqu'à la ville ! Un vrai solo de percussions !

Mais Baltazar ne l'entend pas.

Il finit par ressortir, ferme la porte.

Et tourne la clé !

Emprisonnés !

Il vient de nous ré-emprisonner !

J'ouvre les yeux.

J'ai raté mon plan.

Ma mission.

TOTALEMENT !

J'ai eu si peur, quand Baltazar s'est réveillé, que j'ai tout laissé tomber ! J'ai échappé les passeports ! Ils sont restés dans la roulotte de Baltazar !

Tout cela n'aura servi à rien !

À rien du tout !

Mon aventure n'a qu'un seul résultat : demain, Baltazar sera si fâché que nous allons tous subir des conséquences !

Je n'ai fait qu'empirer la situation!

10 SEPTEMBRE

Mauvaise nuit! Quelle mauvaise nuit j'ai passée!!

Je m'en veux.

Nous avions une petite chance de nous enfuir, et j'ai tout raté.

Et maintenant, au réveil, nous sommes encore tous prisonniers.

La situation a empiré.

8 h 22 — Il nous a fait sortir pour le déjeuner.
Mais il nous surveille sans arrêt. Pas moyen de lever le petit doigt. Pas moyen d'aller nulle part. Il ne dit pas un mot.

Et nous non plus, on ne parle pas! L'inquiétude nous ronge.

10 h — Prisonniers de nouveau
Baltazar nous a encore enfermés dans la roulotte. À clé!

J'essaie de me secouer un peu. J'ai essayé de faire de la couture pour avancer la fabrication de nos fameux costumes. On a tous essayé. Mais on sait, dans le fond, que tout est inutile. Alors, on a abandonné.

Les jumelles sont étendues sur leur couchette et fixent le plafond. Jo a le nez collé sur la fenêtre et regarde... rien! Oleg... Oleg marche dans la roulotte! Un pas en avant, deux pas et demi en arrière! C'est tellement petit!

Et moi... moi, je repasse dans ma tête mes plans pour nous protéger, pour nous enfuir du Cirque Nomade.

Les passeports? Fini!

Joindre Boris le clown? Fini! Enfermés et surveillés comme nous le sommes, dans la Roulotte-soleil, pas moyen d'aller nulle part.

De toute façon, comment l'aurais-je retrouvé, toute seule, dans une grande ville inconnue, Boris le clown?

Nos costumes? C'était une bonne idée! Mais maintenant... je n'y crois même plus!

Il ne reste plus rien! Plus aucune solution. Sauf regarder par la fenêtre, regarder le temps passer.

Comme des prisonniers.

12 h 34 — Un jour normal, on mangerait avec monsieur Bach autour du feu qu'il allume tous les jours! Mais aujourd'hui!

Les pauvres jumelles ont pleuré tout à l'heure. Elles sont malheureuses. Elles n'en peuvent plus. On les a consolées en chantant un peu. Maintenant, je berce Iulia, et Oleg berce Oana.

Un bruit dans notre serrure de porte ! Monsieur Bach !

— Comment allez-vous ?

Ses yeux sont rouges d'inquiétude.

— Ça va... Sauf les deux petites...

— J'ai apporté ce qu'il faut pour elles... et pour vous aussi...

Il ouvre son panier... son panier plein de belles crêpes dorées.

— Baltazar est parti pour toute la journée et toute la soirée, qu'il nous annonce. Il était dans un état terrible. Terrible ! Quelqu'un s'est introduit dans sa roulotte, cette nuit.

Je pique du nez, les joues rouges de honte.

— C'est moi, monsieur Bach, je voulais reprendre nos passeports. Mais je n'ai pas réussi.

— C'était très courageux, Zan. Mais Baltazar est maintenant extrêmement furieux. Zan, on n'a plus le choix. Il faut absolument, ABSOLUMENT, retrouver Boris. Maintenant. C'est notre seul espoir ! Tu as toujours la lettre que je t'ai donnée ?

— Oui, monsieur Bach.

— Alors, pars ! Pars maintenant. Fais tout ton possible pour le retrouver. Tout ton possible.

— Mais je ne sais pas où il est, monsieur Bach ! Tout ce que je sais, c'est qu'il y avait une adresse dans une ville nommée Kiev. Mais je ne sais pas où c'est Kiev !

— Zan, nous SOMMES à Kiev ! C'est la grande ville juste à côté !

— Oh ! Je ne savais pas !

— Allez, pars maintenant ! Tu sais te débrouiller. Tout de suite.

— Je vais avec elle, intervient Oleg.

— Non, Oleg, tu ne peux pas, répond monsieur Bach. Tu dois rester ici. Pour protéger les autres. Tout seul, moi, je suis trop vieux, je ne peux pas.

Monsieur Bach respire fort, respire très fort.

— Une fois là-bas, Zan, tu devras te débrouiller. Et SURTOUT, QUOI QU'IL ARRIVE, NE TE FAIS PAS SURPRENDRE PAR BALTAZAR ! Sa vengeance serait terrible. Je ne veux même pas y penser. Il déteste Boris. Plus que tout au monde. Pars maintenant ! Fais attention à toi ! Et cache-toi de Baltazar !

11 SEPTEMBRE

20 h 27 — Cachée dans la grande ville étrangère.

J'ai marché, marché, marché ! Tout le jour, toute la nuit. Dans la boue, dans l'eau, à travers les champs ! Monsieur Bach m'a donné trois crêpes et une bouteille d'eau. Et un peu d'argent !

J'ai mangé les crêpes en marchant. Maintenant, j'ai faim. Faim et soif. Pour l'instant, je me cache dans un bosquet, dans le parc. Trop peur de tomber sur Baltazar, en ville. Mais il faut tout de même que je m'y risque. Je dois retrouver Boris le clown sur Internet. Une adresse. Je me souviens que, sur le site du Cirque des Saltimbanques, il y avait une adresse dans cette ville. Il faut que je la retrouve.

Je n'ai pas le choix, c'est direction café-terrasse ! Il faut que je me risque à sortir le bout du nez de derrière les feuilles de ce bosquet ! Et puis, j'ai faim ! Et je ne pense pas bien quand j'ai trop faim. Et si j'ai trop faim, je vais me mettre à penser que je suis toute seule, dans une ville inconnue, que je ne parle pas la langue, que Baltazar risque de me retrouver, que des méchants… Bref, il faut que j'arrête de penser ! Allons courage, Zan !

Bon ! Voilà le restaurant ! Jusqu'ici, tout va bien ! Je m'assois, fais un sourire stupide à la serveuse, et pointe quelque chose du doigt sur le menu !

Qu'est-ce que c'est ?????

Un drôle de sandwich à je ne sais pas quoi et, aussi, une énorme portion de frites délicieuses. Avec les doigts dans les frites, je vais à l'ordinateur, je tape le nom du site des Saltimbanques et je le contemple.

Je ne comprends rien ! Comment je vais faire pour retrouver une rue qui s'appelle *Rybalskyi* !

Là, je me dis que la situation n'est pas rose !
Pas rose du tout !

Petit moment de panique interne !

La panique, c'est comme la colle ! Il ne faut pas se mettre le cerveau dedans, sinon on reste englué ! On arrête de réfléchir pour devenir complètement énervé.

Il faut que je me calme. Je mange une frite, deux, trois...

Ça va mieux ! Je recommence à réfléchir !

Je n'ai qu'à aller sur *PlanèteTroouve*, et trouver à partir du plan de la ville de Kiev ! Je tape le nom de la ville, je tape le nom de la rue où je suis, Kreschafik, dans ce restaurant... et je tape le nom de la rue de Boris. Voilà ! Ça fonctionne ! Comme un fidèle ami, *PlanèteTroouve* me dessine le trajet à suivre pour aller du restaurant, ici, jusqu'à la rue de Boris.

Facile !

Je clique sur le zoom de la carte pour voir de plus près les quartiers à traverser.

Oh ! Là, c'est moins bon !

D'abord, parce que Boris est loin, très loin de là où je suis ! Ensuite, parce qu'il y a des milliers de tournants de rues à trouver — tourne à gauche ici, à droite, encore à gauche, à gauche... cela n'en finit plus ! Et l'autre chose qui n'est vraiment pas bien, c'est que grâce au zoom de *PlanèteTroouve*, je peux voir les immeubles et les quartiers à traverser pour me rendre jusqu'à

Boris. Et ces quartiers ressemblent à mon quartier près du SAS : des terrains vagues, des usines, des rues qui ne débouchent pas !

Qu'est-ce que je fais ?

D'abord, imprimer la carte. Je la mets à côté de la fameuse lettre de monsieur Bach, dans ma poche secrète.

Tant qu'à être ici, je vais lire mes messages.

Un message de Filis ! Et un message de Sofi !

Je commence par Sofi.

SOFI@ZAN

Zan, aide-moi! Tu DOIS me retrouver! Je ne sais plus où je suis. Le Cirque Azara, je ne l'aime pas! J'ai terriblement peur ici! La seule chose qui me console un peu, c'est que le cirque campe à côté d'une belle rivière qui s'appelle la Dniepro, et que je peux aller me cacher sous les gros arbres près de l'eau.
Zan! Viens me chercher! J'ai peur ici!

Mon cœur se serre. Je vois la toute petite, la beaucoup trop petite Sofi qui tremble sur son fil ou son trapèze ! Si je pouvais faire quelque chose ! Mais quoi ?

Oh... ça me rend trop triste.

ZAN@SOFI

Tiens bon, Sofi! Nous trouverons un moyen d'aller te chercher! Je te le promets! Je te le jure!

Je n'aurais peut-être pas dû jurer! Quand on n'est vraiment pas trop sûre de pouvoir tenir sa parole... bien, on ne la donne pas!

Je passe vite au message de Filis pour me changer les idées.

FILIS@ZAN

Zan, j'ai bien reçu ta liste de villes où est passée notre petite Sofi. Et j'ai mis des repères sur une carte de *Planète-Troouve*, sur ta page perso. Tu verras, tu seras étonnée! Regarde la carte! Celle de Sofi et la tienne, celle de ton trajet à toi!
Qu'est-ce que tu en penses? Bizarre, pas vrai?
J'ai hâte que tu reviennes au SAS!
Est-ce que c'est bientôt? ☺

Je préfère ne pas répondre à Filis! Est-ce que c'est bientôt mon retour au SAS, qu'il demande! Ce soir, il me semble bien que je ne reviendrai jamais! Bon. Il vaut mieux ne pas m'attarder à des pensées noires! Je regarde plutôt les deux cartes. Bien oui, c'est bizarre! Très bizarre! Vraiment très bizarre!

Mais je n'ai pas le temps d'y réfléchir trop longtemps. Pour l'instant, ma priorité, c'est de retrouver Boris le clown et le Cirque des Saltimbanques.

Je sors du café.

Et là, à exactement 10 pas de moi, qui est là?

LUI, LUI, LUI!

Baltazar!

Je détale à toute vitesse.

Trop tard!

Il m'a vue!

Je l'entends courir sur mes talons.

S'il ne faisait pas si noir, je verrais mieux où je cours!

Mais rien à faire!

Je tourne dans toutes les rues que je trouve.

À gauche, à droite, à gauche, à droite, à...

Stop!

Une rivière!

Je ne peux plus aller plus loin! Il y a de l'eau devant moi. Et j'entends les pas de Baltazar derrière moi!

Je tourne la tête. Un pont!

Je cours sous le pont! Je trouve un petit recoin sombre pour me cacher! Et j'attends.

Baltazar arrive en courant. Je me fais la plus petite possible dans mon coin! Il s'arrête juste devant moi. Regarde de mon côté. Il ne me voit pas.

Je crois qu'il est perdu, lui aussi. Il regarde de tous les côtés comme s'il ne savait plus où aller!

Et il finit par partir et disparaître!

Ouf! Soulagement. Non! Pas ouf!

Parce que, moi aussi, je suis complètement perdue. Je n'ai plus aucune idée où je suis dans cette ville. Et mon beau plan de la ville, avec l'itinéraire pour trouver Boris, est devenu complètement inutile!

Et pire!

Il y a un bruit!

Un bruit juste à côté de moi, dans la cachette sous le pont!

Je ne suis pas seule dans mon petit recoin.

Quelqu'un vient de bouger à côté de moi!

12 SEPTEMBRE

10 h — Au moins, le soleil est magnifique!
Et la rivière est très, très jolie!
Il n'était pas content! Oh! Il n'était pas content du tout, celui que j'ai dérangé dans son recoin sous le pont, hier soir, en venant me cacher. Je l'ai réveillé!

D'abord, j'ai juste vu des cheveux tellement en broussaille qu'on aurait dit que l'inconnu n'avait pas de visage! Mais il en avait un! Plein de sommeil interrompu et de colère!

Il s'appelle Dimitri. Il a 15 ans. C'est ce qu'il m'a écrit sur le papier. Parce qu'on ne se comprend pas du tout. On ne parle vraiment pas la même langue! Voilà notre conversation... écrite en dessins!

Ça, c'était hier soir !

Ce que j'ai traduit à peu près comme ceci :
— Je m'appelle Zan.
— Je m'appelle Dimitri !
— J'ai 13 ans.
— J'ai 15 ans.
— Je suis perdue !
— Je veux dormir. Dors aussi !
— Quoi ?

— Dors…
— ☺
— ☺

Il m'a fait une petite place à côté de lui. Il m'a prêté une couverture.

Et aussi étrange que cela puisse paraître, j'ai très bien dormi sous le pont! Dimitri était très gentil!

Conversation entre Zan et Dimitri, ce matin!

— J'ai faim! dessine Zan.

Et Dimitri sort tout un tas de nourriture d'une boîte qui était cachée dans le recoin sous le pont.

Délicieux! Tout un festin!

— Tu n'as pas de maison? dessine encore Zan.

— C'est ici ma maison! dessine Dimitri.

— Jolie maison!

— Oui. Avec une belle rivière!

— J'aime ta maison !

— Viens voir mes amis !

Je me lève. Il range soigneusement les couvertures et sa boîte de nourriture pour qu'on ne les voie pas. Et je le suis, sur le bord de la rivière.

C'est drôle ! Autant cette nuit, j'avais peur ici, autant ce matin, avec le soleil, et la jolie rivière, je trouve que c'est le plus bel endroit au monde. Dimitri est vraiment chez lui, ici. Il connaît tout. Et je vois qu'il a raison ! C'est bien ici, sa maison ! Il a ses couvertures, sa nourriture, ses amis ! Un vrai nomade, lui aussi !

Ses amis pêchent dans la rivière. Ils ont déjà trois poissons. Dimitri lève le pouce en l'air pour dire qu'il est content. Ce geste-là, il veut dire la même chose, partout dans le monde. Plus je voyage, plus je me rends compte qu'il y a beaucoup de choses pareilles dans le monde !

On s'assoit tous, les pieds dans l'eau. Je comprends que Dimitri explique à ses amis qui je suis ! Ils prononcent tous mon nom avec un drôle d'accent.

Et hop, pendant ce temps, un autre poisson sort de l'eau !

Dimitri et moi recommençons une autre de nos drôles de conversations en dessins !

— Dimitri, je veux aller à cette adresse.

— D'accord !

— Tu connais ?

— Oui.

— Tu veux m'amener?

—

— Oui.
— Merci.
— Avant, on mange un poisson!
— ☺
— ☺

Les garçons ont fait un feu. On a fait cuire tous les poissons sur une broche. Et on les a mangés.

Au soleil.

Dehors.

À côté de la rivière.

Un orteil dans l'eau.

Deux orteils.

Mes jambes.

Ma taille.

Je nage!

L'eau est chaude et froide en même temps.

Dimitri m'arrose!

Je l'arrose!

Je suis perdue, sans argent! Mais une chose est sûre: Je n'ai jamais passé une plus belle matinée de vacances de toute ma vie!

Et avec Dimitri et les garçons, je ne comprends peut-être pas leur langue, mais on se comprend parfaitement!

16 h — Qu'est-ce que je peux marcher
dans cette expédition !

Dimitri est un garçon super solide.

Physiquement. Il a du muscle de jambes ! Il peut marcher une éternité.

Super solide dans sa tête aussi. Il sourit tout le temps.

Il a regardé mon plan de *PlanèteTroouve*.

— ???????

— Un ordinateur.

—

— !!!!!!!!!!!

Il n'a pas l'air de trop connaître les ordinateurs ! Mais il connaît sa ville, et c'est tout ce qui compte !

On est partis !

À pied !

Il me fait traverser toute la ville à pied !

D'abord, en suivant la rivière.

Puis, on arrive à un port. Enfin, une sorte de port. Comme près de chez moi, à Montréal, mais en minuscule. On dirait presque un dessin d'enfant. Les bateaux sont beaucoup plus petits et comme plus plats. Pas de gros ventres comme les paquebots chez moi ! C'est sûr, chez moi, j'ai un grand fleuve. Ici, ce n'est qu'une rivière. Les bateaux sont bleus, rouges et même roses ! Il y a des marins partout qui déchargent le petit ventre des bateaux. Exactement comme chez moi !

Dimitri est super gentil ! Adoooooorable !

Il a des réserves d'eau et de machins à grignoter. Il est super.

18 h 22 — L'heure du souper approche !
Mon ventre gargouille ! Quand est-ce qu'on s'arrête ?

On quitte le joli petit port. Dimitri vient de tourner, et on s'enfonce dans une rue qui ressemble… qui ressemble à chez moi ! Encore ! C'est vraiment bizarre ! Tout est comme chez moi, mais en plus petit ! D'abord quelques maisons, puis… des terrains vagues ! Des terrains vagues et de vieilles usines vides ! J'ai l'impression de rêver !

Et le rêve n'est pas fini ! Il faut presque que je me pince pour y croire. Dimitri s'arrête tout à coup sec devant une grande et vieille usine. Il tend le bras, puis il me montre l'adresse sur ma carte.

On est arrivés ! On est arrivés chez Boris le clown !

Il y a une grande affiche au-dessus de la porte. Une belle affiche en couleur !

SALTIMBANQUES

Le Cirque des Saltimbanques loge dans une usine presque identique au SAS !

Pas moyen d'entrer et de trouver quelqu'un !

Le Cirque des Saltimbanques est fermé !

Personne !

Tout est noir, aucune lumière. J'ai essayé, et essayé de pousser la porte, rien à faire. Elle reste obstinément close. Fermée. Tellement fermée solide, qu'on dirait qu'elle est muette ! Qu'elle ne veut pas me parler... me dire, bonjour !

Ils doivent être partis. Partis en tournée, très loin et pour longtemps. C'est sûr, un cirque de saltimbanques, forcément, ce doit être un cirque de voyageurs ! Un cirque ambulant !

Pourquoi est-ce que je pensais que tout serait facile ?

Pourquoi est-ce je pensais que, parce que je venais lui demander de l'aide, Boris serait là à m'attendre ?

Idiote ! Je suis une innocente idiote !

Je m'assois.

Et tout à coup, j'ai l'impression que je pousse un énorme éléphant en haut d'un escalier !

Je pousse, je pousse ! Mais rien à faire ! L'éléphant ne monte pas ! C'est trop gros, trop lourd pour moi !

Je n'y arriverai jamais. Jamais !

Ma mission est trop grosse pour moi.

Minuit – On a encore marché !
Je n'ai plus de pieds ! Ils sont tout usés !
Dimitri n'a pas voulu que je reste près de la vieille usine. Je le voulais, au cas où Boris reviendrait.

Mais, c'est sûr, il n'allait pas revenir en pleine nuit !

Dimitri a raison !

Ce que j'aime moins, c'est que Dimitri a essuyé une larme qui a glissé sans que je m'en rende compte. Je deviens bébé !

Il a essuyé, puis il m'a tirée doucement par le bras.

Il m'a ramenée près de la rivière, sous de très beaux arbres.

Il a pêché un autre poisson. Il a fait le plus joyeux feu que j'aie jamais vu.

Et il a chanté.

Je n'ai pas pu résister. J'ai fini par sourire.

Il a installé une couverture pour moi.

Je me suis couchée en regardant le feu.

Je me suis calmée.

J'aime ça, j'aime beaucoup ça, être au bord de la rivière, avec un feu !

Et avec 5 milliards d'étoiles comme toit !

Je suis sûre que demain, je verrai Boris.

Avec Dimitri, tout est possible.

— ☺, dessine Dimitri.

— ☺, dessine Zan.

C'est le paradis ici ce matin! Un petit vent timide dans les feuilles de la même couleur dorée que chez moi, en septembre. Boris a rallumé le feu et m'a fait un chocolat chaud. Je n'ai presque plus envie de partir. J'aimerais ça, pour une fois, m'amuser tranquillement et ne plus penser à rien de mauvais.

Avec Dimitri, c'est possible!

C'est drôle, il n'a pas de maison, et, pourtant, il fait une plus belle vie que moi qui en ai une!

Il faudra que je réfléchisse à cela un jour, quand j'aurai 2 minutes.

Remarquez, je ne sais pas ce qu'il fait l'hiver!

10 h 48 — Dans la grande, grande ville inconnue!

On est de retour sur nos pattes! J'ai les jambes rendues comme des élastiques trop étirés!

On a retrouvé la rue des maisons, puis les terrains vagues, puis la vieille usine, puis le SAS. Bien non! Pas le SAS, le Cirque des Saltimbanques! Voilà la grande affiche qui brille dans le soleil du matin. Et dehors, devant la porte, ce que je n'avais pas vu hier soir dans la nuit, c'est une magnifique pelouse pleine de fleurs et de... de... Bien oui! De statues! De statues super colorées de tous les artistes du cirque! Elles sont plantées sur la pelouse, comme un cirque en plein air! Et au milieu, je vois un clown au visage blanc, avec un costume jaune et rond comme un ballon. Et un drôle de chapeau pointu.

C'est sûrement lui, Boris le clown!

Seulement, j'aimerais rencontrer Boris en vrai, pas en statue!

Je plisse les yeux pour mieux regarder autour.

Et, il y a des chances! Je crois que j'ai une chance!

Parce que ce matin, ici, ce n'est pas vide, pas désert.

NON!!!!!!

C'est une fourmilière! Ça fourmille de fourmis! Évidemment, pas des fourmis! Beaucoup de gens qui courent, qui parlent et qui bougent en faisant des pirouettes autour des statues.

Le cirque est ouvert! J'ai trouvé, j'ai SÛREMENT trouvé, toute seule, comme une grande, dans une ville étrangère, l'homme que je cherchais!

Pas toute seule. Ce n'est pas vrai.

Dimitri me tire le bras.

Je le regarde, il me tend un papier qui nous sert à nos conversations en dessins. Sur la feuille, il n'y a qu'un seul dessin. Moi! Moi, mais avec un si large sourire qu'il déborde de mon visage!

Dimitri se moque de moi!

190

WOW!

Comme au SAS, mais 10 fois plus grand! Dix fois plus beau! Dix fois plus lumineux!

La grande salle du cirque est phénoménale! Des milliers, bon j'exagère! des dizaines de trapèzes, de fils de fer, de machins que je ne connais même pas! Rouge, vert, jaune pétant! Des couleurs partout!

Et, au milieu de tout ça, mes fourmis! Des dizaines et des dizaines de trapézistes, funambules, acrobates, clowns! Le plus beau cirque que j'aie jamais vu de toute ma vie!

Même le SAS, qui est pourtant la plus belle chose de ma vie, n'est pas brillant, joyeux, splendide comme ce cirque-là!

Tout à coup, j'ai une soudaine, intense, incontournable angoisse. C'est impossible, je me dis! Absolument impossible que ce fabuleux cirque-là ait un lien avec l'affreux Cirque Nomade d'où je viens! IMPOSSIBLE!

Je me suis sûrement trompée! Je froisse dans mes mains toutes moites, la lettre sacrée de monsieur Bach dans ma poche, celle pour Boris.

Je me suis sûrement trompée.

Des Boris, c'est un nom courant. Il y en a plein, même sur le Web! Il y a une chance sur un million que j'aie le bon! Je me suis trompée de Boris.

Je suis venue ici pour rien!

Et tout à coup, malgré les lumières et les couleurs qui brillent ici, tout devient noir. Noir dans ma tête. Je ne vois plus les beaux trapézistes, les funambules brillants. Je ne vois plus que mes amis, au Cirque Nomade. Le triste sourire des jumelles, leur numéro si dangereux sur les chevaux, Jo aussi... Seuls avec Baltazar!

Je sens encore l'enveloppe de monsieur Bach sous mes doigts, mais je suis maintenant certaine qu'elle ne servira à rien!

Le Cirque des Saltimbanques, c'est le cirque des lumières. Moi, au Cirque Nomade, je vis dans un cirque de noirceur! Il n'y a pas de lien! Ces deux cirques ne peuvent pas se connaître!

11 h 56

On est encore là, dans la salle du cirque, parce que Dimitri ne veut plus partir. Il est fasciné.

J'ai beau le tirer par le bras pour qu'on s'en aille! Rien à faire!

Je commence à être misérable ici, je n'ai pas envie de regarder de belles choses. Pas d'humeur!

Pssssssssssssst!!!!!!!!!!

Pouah! En plus, je viens de me faire arroser!

JE NE SUIS PAS D'HUMEUR!

Je lève les yeux pour voir qui est le malotru. Un clown! Avec un gros nez rouge, évidemment! Et une petite pompe à eau!

Pssssssssssssst! Encore!

Il a la tête dure, ce clown-là!

JE NE LE VEUX PAS!

Pssssst! Encore!

J'essuie l'eau sur mon visage en serrant les dents et en essayant de rester polie!

Évidemment, Dimitri part à rire!

Lui, il est là pour s'amuser! Pas moi! Je ne trouve pas ça drôle!

Bon. On va encore perdre du temps!

Dimitri parle au clown maintenant! Ils parlent la même langue. C'est toujours bizarre d'entendre la voix d'un clown parce que, d'habitude, un clown ne parle jamais. Mais c'est vrai que ce matin, ils sont tous ici pour s'entraîner.

Dimitri fouille dans ma poche, sort la lettre de monsieur Bach destinée à Boris et la donne au clown.

Le clown regarde l'enveloppe, puis il nous fait signe de le suivre. Comme je ne bouge pas, c'est Dimitri qui me pousse en avant.

11 h 59 — Cette heure-là est hyper importante. Je vais m'en souvenir toute ma vie!

Il faut voir la scène comme je la vois!

D'abord un plancher qui flotte au-dessus de l'immense salle d'entraînement du Cirque des Saltimbanques. On y grimpe par une échelle de corde!

Et puis, sur cette estrade volante, un homme assis paresseusement dans un fauteuil de cuir jaune vif. L'homme porte une chemise blanche, un beau costume de monsieur, veston et tout, mais d'une couleur flamboyante! Bleu électrique! Ou peut-être bleu comme la mer, je ne suis pas sûre! Je n'ai jamais vu la mer, juste en photo. Et ses chaussures, c'est pire et drôle! Des chaussures rouges, exactement du même rouge que mes adorées bottines que m'ont données mes amis du SAS quand je suis partie!

À notre arrivée, l'homme ne bouge pas, il fait juste nous regarder, Dimitri et moi. Il n'a pas l'air plus sympathique qu'il le faut. L'air hautain. Il nous observe à travers la fumée d'un gigantesque cigare, qui fait de gigantesques ronds de fumée! Il faut admettre que ce sont des ronds de première classe! Parfaitement ronds, et un après l'autre, sans arrêt! On dirait presque qu'il fait des bulles avec de l'eau et du savon et un petit anneau, sauf que c'est de la fumée! Peut-être qu'il a un petit anneau de plastique caché dans la bouche?

Le clown lui remet la lettre. L'homme ne la regarde pas, il n'a pas l'air intéressé. Il continue seulement de nous regarder, nous, l'air toujours aussi hautain, je ne trouve pas d'autres mots. Moi qui ai le visage sûrement sale, j'ai un peu honte!

Et tout à coup, l'inconnu aux souliers rouges fait un autre immense rond de fumée qui vient s'enrouler autour de moi! Comme s'il me prenait au lasso!

Bon. C'est bien beau ! Mais moi, je n'ai plus de temps à perdre, rond de fumée génial ou pas ! Il peut bien continuer à nous regarder avec son air hautain si ça lui chante, moi je pars ! J'ai une mission à remplir ! Et puis, je n'aime pas les adultes qui regardent les enfants avec des airs hautains ! C'est comme ça !

Juste pour bien lui montrer que j'ai de l'orgueil quand même, avant de tourner les talons, je lui lance, moi aussi, l'air le plus hautain que je peux. Même si je suis petite et que, forcément, pour être hautain, il vaut mieux être haute, je fais semblant, dans ma tête, d'être haute comme un monument. Et je tourne les talons ! Cet homme-là, ce n'est pas Boris le clown. Cet homme-là n'est pas gentil, et monsieur Bach m'a assurée que Boris était gentil.

Je me suis trompée, c'est tout !

Je suis déjà presque rendue à l'échelle de corde pour redescendre, quand il se décide enfin à ouvrir la bouche.

— Vous cherchez Boris le clown, mademoiselle ?

Je me retourne.

— Oui ! Et je dois continuer de le chercher ! Excusez-moi ! Je ne peux perdre aucune seconde, c'est une question de vie ou de mort !

Et je retourne les talons. Il m'envoie encore un de ces lassos de fumée.

Il m'ennuie ! M'ennuie !

Je brise le rond, impatiente. Je sais que ce n'est pas gentil, mais il y a des limites !

— Et de qui êtes-vous en service commandé, mademoiselle ?

— Pardon ?

En plus, il parle compliqué !

— Qui vous envoie, fait-il avec un soupir, comme si j'étais parfaitement nulle ! Là, c'est trop !

— De monsieur Bach. Un vieux monsieur. Mais vous ne le connaissez sûrement pas. Il m'a parlé d'un Boris le clown aimable. Et vous...

Bon, je ne vais pas continuer, m'enfoncer et être impolie, mais je n'en pense pas moins !!!

— Monsieur Bach ? Du Cirque Nomade ?

Là, je m'arrête un peu, le premier pied déjà sur l'échelle.

— Celui-là même ! Mais, c'est inutile, je m'en vais. Vous ne pouvez pas nous aider !

— Un instant, je vous prie, mademoiselle !

Il parle d'un ton autoritaire. Moi, comme ton autoritaire, j'ai déjà Baltazar ! Alors, je n'ai pas besoin d'un autre autoritaire !

— Un instant ! qu'il répète.

Et cette fois, il part à rire ! D'un grand rire !

Comme Baltazar !

Décidément !

Ils sont fous dans ce pays !

13 h 45 — Devant un gigantesque repas, toujours sur l'estrade flottante.
Je m'empiffre de délicieuses choses!

C'était bien lui! Le vrai! Boris le clown!

Il est bizarre, mais finalement, pas si mal! Je crois que c'est son humour à lui! Il prend des airs hautains, mais en réalité, il n'est pas mal!

Et puis, il nous a fait monter un festin, à Dimitri et à moi!

Quand je lui ai parlé de monsieur Bach, il est soudain devenu très sérieux. Très sérieux et très préoccupé!

Et maintenant, c'est la quatrième fois que Boris relit la lettre de monsieur Bach. Il ne rit plus. Il a éteint son cigare et il est soucieux. Inquiet. Très inquiet.

— Ce que m'écrit monsieur Bach est grave, mademoiselle Zan. Très grave. Je n'aime pas ça du tout! Pas du tout!

C'est encourageant! Mais quand même, je continue un peu à me méfier de lui. Tout à l'heure, il était impossible... et depuis une heure, il est gentil. Il est quoi, au juste? Et surtout, est-ce qu'il peut nous aider? Est-ce qu'il voudra nous aider?

— Mademoiselle Zan, qu'il reprend, je vous prie de m'excuser... m'excuser infiniment! Je ne savais pas que vous veniez me voir avec autant de... détresse.

Il parle vraiment compliqué, ça c'est un fait.

— Vous excuser pour quoi ? je fais.

— Pour tout à l'heure, avec le cigare et mon ton un peu...

— .... très hautain, je ne peux pas m'empêcher de lui jeter avec un reste de colère.

— Oui. Vous avez raison. Mais, comprenez, je m'entraînais ! Je m'entraînais comme clown ! Et comme j'avais devant moi deux enfants, je testais mon nouveau numéro !

— Votre nouveau numéro ne fait pas rire ! Il met en colère !

— Voilà justement ce que je veux essayer ! D'abord mettre en colère et, ensuite, faire rire ! Vous savez, mademoiselle Zan, imaginer toujours de nouvelles façons de toucher les spectateurs, de les faire rire, n'est pas facile. La vie de clown est très difficile ! Nous sommes le bonheur des enfants ! Le bonheur est très difficile à inventer !

Tiens ! Ça me rappelle quelque chose !

— Vous savez, au Cirque Nomade, il n'y a aucun clown. Et aucun enfant dans les gradins !

— Oui. C'est ce que m'écrit monsieur Bach. Je comprends maintenant.

Et il reprend son air soucieux. Je lui demande timidement :

— Allez-vous... allez-vous nous aider ?

— Évidemment ! Bien sûr que je vais vous aider ! Boris le clown ne laissera jamais ses amis du cirque au milieu de problèmes ! Baltazar n'est pas digne de faire partie du monde magique du cirque!

Est-ce qu'il y aurait de l'espoir?

14 SEPTEMBRE

Boris est... fabuleux... Oui! Fabuleux!

Et son cirque est fabuleux! Dimitri et moi avons passé la journée ici, avec les acrobates qui s'entraînaient. Je suis même montée dans les soies!

Des soies qui **avaient un filet de sécurité en dessous**!

Ici, ils sont normaux!

Boris nous a amenés dans sa maison in-croyable!

Des pièges à rire, des drôles d'objets qui font du bruit, des automates, des boîtes à surprise! Comme un château, mais un château de clown!

Un château qui a l'air sérieux, mais qui est fait pour faire rire. Dans le réfrigérateur, il y a des petites souris mécaniques qui font semblant de grignoter les fromages! Et dans mon lit, sous les draps, il y avait un raton-laveur masqué qui me parlait!

Boris nous traite, Dimitri et moi, comme des vedettes!

Fin des si belles vacances !!

De retour au Cirque Nomade.

Le choc !

La magie du Cirque des Saltimbanques est partie d'un coup !

Tous les rires et les farces et les lumières se sont envolés !

La drôle de maison de Boris est juste un souvenir !

Peut-être même que j'ai tout rêvé ?

Même le soleil a disparu.

Ce matin, c'est la pluie froide.

Ma Roulotte-soleil est triste à mourir.

Les petites jumelles ont maigri.

Jo et Oleg ont les yeux tellement cernés de noir qu'on dirait qu'ils sont maquillés !

Et j'ai aperçu, au loin, un monsieur Bach tout voûté, vieux comme les pierres, qui faisait boire les chevaux à l'étang.

Voilà ma vie, ma vraie vie, la vraie réalité ! Redevenue prisonnière au Cirque Nomade sous la coupe dure de Baltazar !

Et, du coup, sous la pluie qui brouille la fenêtre de la Roulotte-soleil, tous mes espoirs sont redevenus morts !

J'ai eu de l'espoir avec Boris, mais, maintenant, je sais que j'ai tout rêvé, tout imaginé.

Rien n'était vraiment vrai !

Ce qui est vraiment vrai, c'est que j'habite une Roulotte-soleil au soleil éteint!

Même le joli drapeau qu'on a bricolé ensemble, avec les «bienvenue» dans toutes les langues, avec le beau soleil jaune que j'avais cousu, eh bien... notre joli drapeau, il pendouille, tout mouillé, sur la porte... comme un drapeau qu'on aurait tué!...

13 h 35

Quand je suis rentrée au Cirque Nomade, Baltazar m'a vue passer. Il n'a rien dit. Il a juste eu l'air plus méchant que d'habitude. C'était pire que tout. Il m'a suivie jusqu'à ma roulotte et il a fermé la porte à clé. Je l'ai vu mettre la clé dans sa poche quand il s'en retournait chez lui.

Boris m'a juré qu'il le fallait! Qu'il fallait que je revienne ici, toute seule. Sans même Dimitri!

Il m'a ramenée ce matin en auto, près du Cirque Nomade. Il m'a parlé gentiment, mais, quand même, j'avais l'impression de mourir!

— Voilà Zan, tu vas descendre ici et te rendre à pied jusqu'au cirque! Il ne faut pas que Baltazar découvre que nous nous sommes parlé.

— Et vous, qu'est-ce que vous allez faire?

— J'ai un plan, Zan. Mais avant de pouvoir vous aider, je dois faire plusieurs choses. Alors, j'ai besoin d'un peu de temps.

— Mais nous n'avons plus le temps! Baltazar met notre vie en danger!

— Je sais, Zan. Je sais, mais continue de protéger tes amis, avec l'aide de monsieur Bach. Je reviendrai. Aie confiance ! Allez, va maintenant !

Alors, j'ai marché sous la pluie jusqu'au Cirque Nomade...

Et à mesure que j'avançais, je devenais trempée de pluie et j'avais froid, ma confiance fondait comme du sucre dans l'eau. Quand j'ai finalement atteint nos roulottes, ma confiance... ma confiance en Boris était morte. Il ne fera rien, j'en suis sûre. Il s'est débarrassé de moi ! De nous !

Pourtant, pendant 2 jours, j'ai tout raconté à Boris. Ce qui se passait au Cirque Nomade, nos passeports enfermés dans le coffre-fort, Baltazar qui trafiquait nos accessoires pour qu'on tombe, nous qui étions prisonniers. Même plus, je lui ai parlé du SAS, de mes amis là-bas qui vivaient la même chose que moi, un cirque sans clown et dangereux. Je lui ai parlé de mon voyage jusqu'ici, de la disparition de la petite Sofi, de son cirque à elle, où elle aussi a si peur... J'ai même montré à Boris le trajet de Sofi et le mien sur la *PlanèteTroouve*...

PlanèteTroouve ! La planète où je me promène maintenant est si loin de chez moi ! En fait, je suis maintenant sur une autre planète, une planète-cirque. Et cette planète-cirque est enveloppée dans un gros nuage noir ! Comme si un diable avait entraîné la planète-cirque dans son enfer plutôt que de la laisser tranquille au paradis des acrobates et des saltimbanques...

Chaque fois que je lui racontais nos malheurs, Boris prenait des notes dans un grand cahier.

Et chaque fois que je demandais : « Qu'allez-vous faire Boris ? »

Il me répondait : « Ne crains rien, Zan, j'ai un plan ! Je vais vous sortir de là ! »

Ouais.

Bien aujourd'hui, dans ma roulotte triste, je n'y crois plus !

18 h 56 — Fini de souper.

Baltazar ne s'est pas montré. Je suis soulagée. J'ai peur de lui maintenant.

Monsieur Bach m'a demandé, avec plein d'espoir dans les yeux, si j'avais trouvé Boris, si ma mission s'était bien passée.

J'ai juste haussé les épaules sans répondre et en soupirant. Il a compris. Son dos s'est courbé encore plus. Il est retourné dans sa roulotte.

Plus j'y pense, ce soir, plus je suis certaine. Boris, c'est sûr, maintenant que je suis partie, est retourné à ses affaires et nous a tous oubliés.

Pourquoi, hein ?

Pourquoi est-ce qu'il se soucierait de nous ?

Pourquoi est-ce qu'il perdrait son temps avec nous ?

La planète-cirque est triste...

21 h 45

J'ai sorti mon clavier, mais je n'ai même pas pu jouer.

Je n'avais pas le cœur à ça ! Mes doigts étaient lourds.

On a couché les jumelles sans musique !

16 SEPTEMBRE

9 h 34

Baltazar vient dans la roulotte. Il a déverrouillé notre porte. Il me fait signe de le suivre. Je le suis, je n'ai pas le choix ! Je le suis dans sa roulotte, reste assise sans bouger.

— Où étais-tu passée ?

— J'ai... j'ai essayé de m'enfuir...

Baltazar rit. Sale bête !

— T'enfuir ? On ne s'enfuit pas du Cirque Nomade. JAMAIS ! Et puis, je conserve tous vos passeports. Tu ne peux aller nulle part. ABSO-LUMENT nulle part sans mon autorisation.

— Je sais. Je le sais maintenant.

Je baisse la tête. Un peu pour lui montrer que je suis soumise. Et un peu aussi, parce que je me sens exactement comme cela : la tête plongée dans un bol de malheurs !

— Bien ! Ceci étant réglé, passons à autre chose. Tu avais promis de faire de la musique pour les spectacles. Et tu ne l'as jamais fait.

— Oui, c'est vrai. Je suis désolée.

— Alors. Tu vas t'y mettre. Tout de suite ! Je t'emmène avec moi aujourd'hui. Nous allons à la ville. Tu pourras aller sur cet... sur cet ordinateur pour faire ta musique. Et j'en ai besoin demain. Tu as compris ?

— Demain ? Ce n'est pas beaucoup de temps.

— Peut-être, mais c'est ainsi. Parce que dans 3 jours, je veux donner le plus grand spectacle, le plus important spectacle que j'aie jamais donné. Ce sera mon apothéose ! Et vous allez faire des numéros encore plus spectaculaires que jamais. Vous allez littéralement voler au-dessus de la piste ! Jamais personne n'aura vu un spectacle pareil ! Mon apothéose ! Mon apothéose, je te le dis !

Il m'ennuie avec son apothé... chose. D'abord, je ne sais même pas ce que ça veut dire !

— Il y aura des clowns ? que je demande.

— Bien sûr que non ! Il n'y aura jamais de clown au Cirque Nomade.

— Alors, ce sera encore un spectacle pour les adultes ?

— Oui.

Je sais ce que cela signifie, un spectacle de Baltazar, seulement pour des adultes ! Ça signifie « danger » pour nous ! Comme d'habitude !

Même si Boris voulait vraiment nous aider, il n'aurait jamais le temps en une journée !

Je rejoins monsieur Bach près de l'étang. Il est assis sur une grosse pierre plate. Il est en train de peindre, avec un tout petit pinceau et de la peinture dorée, les drôles de... d'aiguilles à tricoter qu'il fabrique depuis quelques jours.

— Vous continuez à fabriquer ma surprise, monsieur Bach ?

— Bien sûr !

— Vous savez, ce n'est plus nécessaire... il n'y a rien... vraiment à célébrer... Je vous jure... Baltazar veut donner un spectacle demain...

— Je sais...

— Que signifie « apothéose » ?

— Cela signifie... la chose la plus extraordinaire qu'on ait jamais faite ! Celle qui nous rappellera aux gens, même lorsque l'on sera mort !

— Alors, j'ai bien peur que ce spectacle-là soit aussi mon apothéose à moi !

— Pourquoi dis-tu cela, petite Zan ?

— Parce que, monsieur Bach, ce qu'il nous demandera sera si difficile que je tomberai et que je mourrai... et mes amis aussi. Alors, on pourra dire : « Ce spectacle était leur apothéose ! » Voilà pourquoi...

Monsieur Bach me regarde, me tend ces fameux et intrigants bâtons.

— Zan, si je te fabrique cette surprise, c'est aussi pour ton apothéose, ton apothéose à toi ...

pour une réalisation exceptionnelle que tu auras réussie... Mais cette réalisation, tu sais ce qu'elle est?

— Mon numéro de soies?

— Non. Pas du tout. Ta grande réussite qui te mérite cette surprise, c'est ton cœur. Ton cœur plein de ténacité, de courage et de solidarité.

— Ténacité?

— Cela signifie ne jamais arrêter de lutter, surtout contre ce que l'on sent mauvais...

— Solidarité?

— *Tous pour un, un pour tous!*

— Comme «Les Trois Mousquetaires»?

— Exactement...

— Au SAS, chez moi, c'était notre devise...

— C'est la nôtre aussi, au Cirque Nomade... Allez, va maintenant... va rejoindre les autres... Et retrouve ton sourire!...

— D'accord...

Je commence à m'éloigner, quand monsieur Bach me crie:

— Zan!

— Oui, monsieur Bach?

— Tu as des qualités..., mais tu as aussi beaucoup de défauts, tu sais!... Ne t'enfle pas la tête!

Il sourit!

— Je ne suis pas parfaite?

— Non. Pas du tout! Tu n'es pas parfaite! Et c'est ça qui est parfait!

Je ris... et retourne vers ma roulotte, le pied un peu plus léger.

11 h 38 — À la roulotte-soleil...

J'ai posé Élixir sur l'épaule de Iulia. Il faut toujours que j'alterne. Un moment sur l'épaule de Iulia, un moment sur celle d'Oana. Sinon, c'est la bagarre entre elles ! Elles essaient toutes les deux de lui apprendre leur nom. Pas facile pour mon pauvre Élixir. Déjà qu'il a du mal à parler français ! Des noms en roumain, ça lui embrouille le bec ! Mais enfin ! Peut-être qu'il y arrivera ! Avec beaucoup d'efforts !

Je mets mes deux collègues, Oleg et Jo, au courant des dernières nouvelles et du prochain spectacle.

— L'important, je leur dis, c'est que nos costumes soient enfin prêts...

— Ouais, fait Oleg, pas convaincu.

— Oleg, tu as un autre plan ?

— Non.

— Alors, celui-là est parfait et on doit l'exécuter. Vous êtes d'accord ?

— Oui, font Oleg et Jo.

— Alors, on ressort la couture.

— Zan ! J'ai oublié ! fait Oleg. J'ai quelque chose pour toi !

Et il me tend un petit bout de papier. Je regarde, d'abord sans comprendre.

—

— Où as-tu trouvé ça, Oleg ! Où as-tu trouvé ça !

Je suis tellement excitée que j'ai du mal à articuler !

— C'était sous la porte, ce matin. Sous notre porte. Qu'est-ce que c'est ?

— Oleg, c'est le plus cadeau de la journée ! De la semaine ! Du mois ! De l'année !! Du siècle !

Il me regarde, un peu sidéré.

Dimitri n'est pas loin !

14 h 45

Baltazar m'a ramenée à la ville, m'a laissée aux ordinateurs pour que je termine la fameuse musique de son a-p-o-t-h-é-o-s-e !!! Mais il me surveille de la terrasse. Une chance, il ne peut pas voir ce que j'écris sur l'ordi. C'est excellent !

Je suis pressée, mais je sais exactement ce que je dois faire. Vite ! Vite !

Numéro 1 :

Zan@Filis
Filis! D'abord l'urgence numéro 1! Je
dois terminer une musique MAINTENANT!
Entre le code secret Apothéose 🖱 et

clique sur la musique Baltazar. Je veux que tu me la termines. Ce qui ne fait pas joli, ne le mets pas! Je veux le produit final DEMAIN! ET JE VEUX une belle musique inquiétante!

Urgence numéro 2: As-tu des nouvelles de Sofi? Sais-tu où elle est? Parce que, selon l'itinéraire que tu m'as fait sur *PlanèteTroouve*, elle n'est jamais dans des villes très loin de moi! C'est comme si elle me suivait! Peut-être que je pourrais la retrouver! Dans son dernier message, elle parlait d'une rivière, un nom qui commençait par *Dniep...*, je ne me souviens plus... même si ce nom me dit quelque chose...

J'envoie mon message. J'avais espéré... j'avais espéré que Filis serait en ligne et qu'il me réponde tout de suite. Mais non! Pas de chance. Mais il y a tout de même un message de lui. Je ne sais pas depuis quand ce message m'attend! C'est dur d'être loin d'un ordinateur!

FILIS@ZAN

Zan, c'est tragique! Depuis ses derniers messages, plus aucune nouvelle de Sofi! Tu en as?

Ici, au SAS, c'est terrible! Alexis le clown est tombé du fil de fer où monsieur Trempe l'a obligé à grimper. Il s'est fait très mal. C'est de plus en plus difficile au SAS maintenant. Je suis même content que tu ne sois pas ici.

Dernière chose: tu te souviens de cette conversation que j'avais entendue, avec les mots «International des artistes du cirque»… ou quelque chose qui y ressemble? Tu as eu le temps d'aller vérifier sur *Troouve*? Moi, j'ai complètement oublié!

Moi aussi, j'avais oublié cet « International machin »… Filis a entendu ce nom au SAS… et moi, je l'ai *vu* sur une lettre, dans le coffre-fort de Baltazar! Et si j'essayais de trouver!

Je ferme ma messagerie, j'ouvre *Troouve*… et tape « International des artistes du cirque »…

Une page s'ouvre! Je lis.

C'était donc ça! C'était donc ça! Le lien entre le SAS et Baltazar! C'est comme ça que je me suis retrouvée au Cirque Nomade! Maintenant, je commence à comprendre!

— Zan! C'est fini! me crie Baltazar. Éteins tout! Nous partons! Je dois aller quelque part, j'ai un rendez-vous avant de retourner au Cirque Nomade!

Je ne sais pas quelle heure il est parce que j'ai dormi dans le camion de Baltazar! Mais c'est le soir tard, tard, tard.

Où est-ce qu'on est?

C'est un chapiteau, un chapiteau de cirque, ça, c'est sûr! Mais pas un chapiteau bleu et jaune comme le Cirque Nomade. Celui-ci est bleu et rouge!

Baltazar me pousse à l'intérieur du chapiteau.

Au premier coup d'œil, j'ai compris! Ici non plus, dans ce cirque que je ne connais pas, il n'y a aucun filet de sécurité!

Ce cirque-là est comme le Cirque Nomade! Le cirque des grands dangers!

Baltazar va rejoindre un homme et se met à discuter avec lui. C'est drôle, ces deux-là se ressemblent. Peut-être que c'est seulement parce qu'ils trafiquent les mêmes méchancetés ensemble qu'ils ont fini par se ressembler!

Je jette un coup d'œil sur les deux hommes. Ils discutent ET ils échangent de l'argent!

Une très mauvaise nouvelle pour nous tous!

Je n'aime mieux pas regarder! Je me promène sous le chapiteau, qui est sombre et pas joyeux du tout. Trois acrobates qui font des... acrobaties terriblement difficiles! Beaucoup trop difficiles, comme celles que nous faisons au Cirque Nomade. Il y a même une toute petite fille, qui n'est pas plus haute que les jumelles, peut-être même plus petite et qui s'exerce au trapèze volant. Elle vient de s'asseoir sur la barre. Sûrement qu'elle est très fatiguée!

Je m'approche d'elle... et, tout à coup, je m'arrête sec!

Sec, sec,sec!!!!!!!!
La toute petite trapéziste joue de la flûte!
DE LA FLÛTE!!!!!!!!!
Je me frotte les yeux! Je ne veux pas y croire!
Je ne PEUX pas y croire!
Je m'approche encore!
Mon cœur s'arrête!
Sofi!!!!!!!!!
MA SOFI!!!!!!!!!!!!!!!!!!!!
MA SOFI DU SAS!!!!!!!!!!!!!!!!!
JE L'AI RETROUVÉE!!!!!!!!!!!!!!!!!!!!!!!
J'AI RETROUVÉ MA SOFI!!!!!!!!!!!!!

**Mon cœur bat pendant 5 minutes
avant que je puisse bouger!**
Sofi ne m'a pas vue!

Je me tourne vers les deux bonshommes!
Toujours en grande discussion. Ils ne regardent
pas par ici.

Parfait!

Sofi a commencé à descendre du trapèze par
l'échelle de corde. Elle ne m'a toujours pas
remarquée.

Je m'approche, avec un doigt sur ma bouche
pour lui indiquer de se taire!

Alors là!

Alors là!

Sofi est très petite!

Mais je ne savais pas qu'elle pouvait avoir une
aussi grande bouche!

Parce que sa bouche, quand elle me reconnaît, s'ouvre grand comme... grand comme l'univers !

Je lui fais encore signe de se taire, lui indique les deux bonshommes qui discutent !

Je la prends par le bras, l'entraîne vers un coin sombre. Et là, son clapet à paroles ne peut plus se retenir. Les mots veulent sortir comme les grandes eaux d'une rivière pendant une inondation !

— Zan ! Zan ! Je SAVAIS que tu me retrouverais ! Même si je suis si loin !

— Bien tu vois ! Il ne faut jamais désespérer !

Je sais, c'est une phrase usée, mais il ne m'en vient pas d'autre plus originale !

— Zan ! commence Sofi. Et les mots se bousculent à la porte de sortie de sa bouche !

— Calme-toi, Sofi !

— Je ne peux pas me calmer, Zan ! C'est fou dans ce cirque, ici ! Il n'y a pas de filet et...

— Je sais, Sofi, je sais ! C'est pareil dans mon cirque !

— Ah ! Parce que toi aussi... ?

— Oui !

— Zan, je veux partir d'ici ! Je ne veux pas rester ici ! Amène-moi avec toi ! AMÈNE-MOI AVEC TOI !

— Tais-toi, Sofi, tu vas nous faire repérer !

Mais elle a raison.

Je ne peux pas la laisser ici, c'est sûr !

C'est même certain !

Et là, commence l'un des plus importants moments de ma vie !

Un, parce que je ne vois vraiment pas COMMENT je pourrais bien la sortir d'ici et la ramener avec moi. Et deux, parce que même si je ne vois aucun moyen, je DOIS, parole de Zan, en trouver un !

Je réfléchis ! Je réfléchis si fort que je dois certainement produire assez d'électricité pour éclairer le chapiteau en entier !

L'électricité, c'est de l'énergie ! Et de l'énergie, voilà que je commence à en avoir ! Et des tonnes avec ça !

Bien ... Bien oui..., c'est une idée ! En tout cas, c'est la seule que j'ai ! Et Sofi est si petite que... pourquoi pas ! Ça pourrait marcher !

Je prends Sofi par la main, en lui disant de se taire. Je l'entraîne par une petite porte dehors, jusqu'au camion de Baltazar.

— Que fais-tu, Zan ?

— Sofi, tu vas te cacher derrière mon banc et te faire la plus petite possible !

— Mais Zan, même si je suis petite, je ne peux pas rentrer là-dessous ! C'est beaucoup trop étroit !

— Sofi, tu n'as même pas le choix ! Il faut que tu y arrives ! Allez, essaie !

Sofi rentre sa tête, puis son corps. C'est un début ! Ne reste que les deux jambes à rentrer !

— Zan! Qu'est-ce que tu fais encore? Je t'avais dit de m'attendre à l'intérieur!

Zut! Baltazar! Et il me reste encore deux jambes à faire entrer sous le siège!

— J'avais... j'avais sommeil, monsieur Baltazar! Je voulais dormir dans le camion... Vous comprenez, je...

Je parle, je parle pour occuper Baltazar... et en même temps, je pousse, je pousse pour rentrer les jambes de Sofi qui continuent de dépasser du camion! Pourvu qu'il ne voie rien!

— ... Et je pensais, monsieur Baltazar, à propos des costumes...

Et pendant que je lui raconte n'importe quoi, je pousse, je pousse...

— Qu'est-ce que tu as à parler sans arrêt? Pour quelqu'un qui a sommeil, je te trouve bien bavarde! Allez, tais-toi et grimpe dans le camion! On retourne chez nous!

Je pousse encore plus fort... Ça y est!

Je ne sens plus de jambes dans mon dos! Elle a dû réussir à tout rentrer!

Ouf!

Je grimpe dans le camion et ferme la portière. Baltazar démarre. On reprend la route.

Atchoum!

Baltazar se tourne vers l'arrière!

— Qu'est-ce que c'est que ce bruit?

Je commence à m'essuyer le nez à grand renfort de mouchoirs de papier! Plus! Je me remplis le nez de mouchoirs de papier! Une tempête de neige de mouchoirs de papier!

— C'est moi, monsieur Baltazar. Je crois que j'ai attrapé un rhume!

Il fronce les sourcils, méfiant.

— Non. Je suis sûr que le bruit venait de sous le siège.

— Mais non, monsieur Baltazar! que je fais, avec la plus grande conviction possible. Il n'y a personne d'autre que nous deux dans ce camion!

Et je lui tape le plus large sourire possible, à travers ma tempête de mouchoirs de papier!

« Sofi! Zut! Tu ne vas pas éternuer pendant tout le voyage », que je pense dans ma tête!

Je vais manquer de mouchoirs de papier!

La nuit – De retour au Cirque Nomade.
Elle a fait ça durant tout le trajet!

Éternuer!

Alors, bien sûr, je n'ai pas arrêté de me moucher!

Mais maintenant, la situation est plus grave!

Parce que Baltazar vient de me descendre du camion, devant ma roulotte. Si Sofi éternue, Baltazar saura qu'il y a quelqu'un d'autre que lui dans le camion!

— Merci, monsieur Baltazar, pour le voyage! J'espère que je n'aurai plus d'éternuements. Plus AUCUN!

Il doit penser que je suis folle! Me soucier autant d'éternuements! Mais, moi, bien sûr, j'ai dit ça pour alerter Sofi. Pour qu'elle sache qu'elle doit se retenir!

Dommage, je me dis en rentrant dans la roulotte. Dommage que je n'ai pas eu le temps de montrer mon truc à Sofi! Mon truc pour ne pas éternuer! Il faut se coller la langue au palais. J'ai lu ça quelque part. La reine d'Angleterre, c'est son truc pour ne pas éternuer au mauvais moment...

Non! Ce n'est pas vrai, je me trompe! Ce n'est pas pour les éternuements, c'est pour les bâillements! Ce truc, c'est pour éviter de bâiller! Il paraît que la reine ne doit jamais bâiller pendant les cérémonies officielles! Même si c'est endormant!

Bref, si je pense à toutes ces stupidités, en rentrant dans ma roulotte, c'est pour calmer mes angoisses!

Parce que je ne sais pas comment faire sortir Sofi d'en dessous du siège et je ne sais pas, non plus, où la mettre et où la cacher ensuite!

3 h

Cela fait des heures qu'on attend que la lumière s'éteigne dans la roulotte de Baltazar! C'est fait!

— Allons-y, déclare tout à coup Oleg, qui a pris la direction des opérations!

On se faufile dehors, dans la nuit. Heureusement, qu'elle est très noire! Et heureusement aussi que Baltazar a oublié de fermer notre porte à double tour !

Jo court vite vers la roulotte de Baltazar, se cache sous sa fenêtre. C'est sa mission à lui. Il doit surveiller si Baltazar bouge !

Oleg et moi nous dirigeons vers le camion. Ouf ! La porte n'est pas barrée ! On ouvre… et je commence à tirer sur une jambe…

— Sofi ! Sofi ! C'est moi ! Sors de là !

— Hummm !

— Sofi ! Vite ! On n'a pas beaucoup de temps !

— Hummmmm !

Est-ce qu'elle est malade ?

Je tire maintenant sur les jambes, le corps, les cheveux ! Tout ce que je trouve !

Et je tire une Sofi tout en petits morceaux de dessous le siège ! Elle n'arrive même plus à se déplier et à tenir debout !

— C'était vraiment très petit, qu'elle finit par bredouiller.

— Oleg ! Prends-la dans tes bras ! Elle ne peut plus marcher ! Vite ! Vite ! Jo fait des signes désespérés ! Baltazar doit bouger !

Baltazar ouvre la porte de sa roulotte. Il a dû entendre un bruit. Je vois Jo qui plonge sous la roulotte pour se cacher.

— Vite ! Oleg ! Vite !

On court penchés, Oleg avec Sofi dans ses bras. J'entends les pas de Baltazar approcher !

Tout à coup, une voix.

— Baltazar! Baltazar! Pourrais-je vous parler un instant?

C'est monsieur Bach. Je me retourne. Je le vois qui nous regarde, puis se détourne vers Baltazar. Monsieur Bach nous a vus! Il essaie de détourner l'attention de Baltazar.

Oleg tombe, Sofi roule par terre.

— Monsieur Baltazar, venez par ici un moment! crie encore monsieur Bach, qui a vu Oleg tomber.

Ça y est! Notre roulotte. J'ouvre la porte.

— Allez, Oleg, monte vite!

— Mais Jo?

— Je m'en occupe! Sauve Sofi, c'est le plus urgent!

Je rampe sous notre roulotte. Jo me voit et me fait des signes. Je lui fais signe d'attendre. Si seulement monsieur Bach pouvait amener Baltazar ailleurs! J'essaie de lui faire des signaux, de lui faire comprendre! Mais il n'ose plus me regarder, il parle à Baltazar.

Enfin, il finit par s'éloigner un peu avec Baltazar!

— Jo! je chuchote. Jo! Allez! Viens!

Il rampe jusqu'à moi. On rentre enfin dans notre roulotte! On est plein, plein de boue! Il y en a partout dans la roulotte!

— Sofi! Sofi, vite dans le placard. Je suis sûre que Baltazar va venir ici! Vite!

Elle rentre dans le petit réduit. Oleg, Jo et moi écrasons Sofi sous une pile de vêtements.

— Ça va, Sofi?

— Oui. Enfin, ça ira!

— Écoute, Sofi, tu vas rester cachée. Demain, il faudra te trouver une autre cachette!

— Non. Je reste ici. J'ai trop peur ailleurs! Je veux rester près de toi!

— Tu éternues tout le temps! Baltazar te trouvera, c'est sûr! Tais-toi, Sofi, voilà Baltazar!

Le voilà qui entre dans la roulotte.

— Ouache! C'est sale ici! Vous êtes de vrais porcs!

— Oui, il y a beaucoup de boue! Il a beaucoup plu aujourd'hui!

— De vrais porcs!

Il jette un coup d'œil. Il ne voit rien de spécial et finit par se décider à partir.

Atchoum!

Zut! Sofi!

Je me mouche le nez!

Mais Baltazar fronce les sourcils! L'éternuement vient d'ailleurs, il l'a bien entendu!

Atchoooum!

Jo! Jo, qui est debout à côté du placard, se tient le nez!

— J'ai le rhume, monsieur Baltazar!

Baltazar se méfie tout à coup, je ne sais pas pourquoi! Il revient à l'intérieur, ouvre la porte du placard, se met à fouiller dans les vêtements. Il les bouge. Il va trouver Sofi, c'est sûr. Une seconde, deux.

— Ahhhhhhhhh!, je crie à pleins poumons.

Baltazar fige, se retourne vers moi!

— Il y a une mouche! je crie avec un trémolo hystérique. Une mouche là, qui me fait peur! Il faut l'écraser!

Je prends un air parfaitement paniqué!

— Une mouche? Et alors? Une mouche n'a jamais piqué personne!

C'est vrai ça! J'aurais dû dire une guêpe! Je me suis trompée!

— Et puis, je ne la vois pas, ta mouche! continue Baltazar.

Là, il a raison! C'est ça le problème! Moi non plus! Parce qu'il n'y a pas de mouche! Je l'ai juste inventée pour le détourner du placard.

Clac!

— Je l'ai tuée, fait tout à coup Oleg avec un sourire.

Brave, Oleg!

En tout cas, Baltazar, excédé par nos stupidités, oublie de retourner à son placard!

Et il finit par sortir en claquant la porte de toutes ses forces!

CLAC!

— Quel mouche l'a piqué celui-là? demande Oleg avec un grand sourire. Il n'a pas l'air content!

**3 h 15 — Mais là, c'est moins drôle.
C'est même sérieux.**

— Elle ne peut pas rester cachée ici! chuchote Jo de sa couchette. Sofi ne peut pas rester ici! Baltazar la trouvera!

— Je sais! Elle éternue tout le temps!

— Alors, qu'est-ce qu'on fait? demande Oleg. Demain, qu'est-ce qu'on fait, Zan?

Je réfléchis. Où cacher Sofi? N'importe où, au Cirque Nomade, Baltazar la trouvera, c'est sûr!

— Alors, ton idée, Zan? En as-tu une au moins? C'est sérieux, Zan! Ici, c'est dangereux pour Sofi et c'est dangereux pour nous s'il la trouve! Ton idée, c'est quoi?

— C'est ceci, je fais tout à coup. Donne-moi un papier et un crayon!

Parce que c'est ça mon idée! Puisque Dimitri m'a laissé un message en dessins, il va peut-être revenir! Alors, à la porte de notre roulotte, je vais moi aussi lui laisser un message!

Message en dessins de Zan à Dimitri

— Amie en danger Roulotte Placard Petite Sofi Amener à Boris le clown!

Je sais, je sais, il y a peu de chances que ça marche!

— Mais ça ne marchera jamais! dit justement Oleg.

— Tu as une meilleure idée?

17 SEPTEMBRE

Il n'y pas de message de Dimitri ce matin.

Évidemment !

Mon idée était stupide !

Il ne reviendra pas !

Baltazar est passé. Il a regardé le message de dessins que nous avons épinglé sur notre porte. Heureusement, il ne parle pas la langue des dessins !

— Nous nous sommes amusés à faire des dessins hier soir, monsieur Baltazar ! je dis pour le rassurer. Pour accompagner notre drapeau !

Il me regarde, méfiant. Il me regarde toujours avec un air méfiant maintenant. Il n'a pas tort de se méfier de moi ! Je lui joue pas mal de tours depuis quelque temps !

Mais, en tout cas, cette fois-ci, il ne comprend pas mon astuce ! Il ne devine pas !

9 h 22 — Dans le chapiteau.

Aujourd'hui, c'est pratique, pratique et pratique ! Exercices, exercices et exercices ! Nos nouveaux numéros sont... ils ne sont pas difficiles ! Ils sont fous ! Carrément débiles !

10 h 18 — Retour au chapiteau !

À force de grimper aux soies, de dérouler, de regrimper et de faire l'ange à une vitesse folle, j'ai déjà les mains et les épaules en compote de pommes ! Les petites jumelles, elles, n'arrêtent pas de tourner en rond et en rond, debout sur leurs chevaux en folie.

Oleg tourne et vole, vole et tourne. Lui aussi, j'en suis sûre, est en compote. Quant à Jo, il monte et descend sur son fil, comme s'il se dépêchait d'aller quelque part. Mais bien sûr, il ne va nulle part, sauf à un spectacle, demain, qui va mal tourner !

On ne se le dit pas, mais on est tous angoissés. On fait juste semblant que tout va bien. Même monsieur Bach s'active à poser des accessoires, à balayer les gradins, tout en nous jetant sans arrêt des regards inquiets. Pauvre monsieur Bach ! Il se sent vieux et inutile.

Moi, pendant que je grimpe en chenille, je pense à deux choses. La première, c'est à Sofi, en priant pour que Dimitri vienne la chercher.

La deuxième chose à laquelle je pense, bien... elle est plus stupide... En fait, elle est complètement stupide... tellement stupide que... je me dis que demain... je me dis que demain, quelqu'un viendra, une sorte de prince ou de héros, et qu'il nous sauvera tous à la fin comme dans les films !...

C'est une belle fin de film !... Mais comme je ne suis pas dans un film, il vaut mieux compter sur moi et mes amis, plutôt que sur un héros en plastique !

12 h 25 — On a vite mangé et on est retournés à la roulotte.

Sofi a disparu ! Elle n'est plus dans la roulotte, elle n'est plus dans le placard !

— Tu crois que Dimitri est venu la chercher, Zan ? me demande Jo, pas trop certain.

— Mais non ! Il aurait laissé un message, même juste un petit dessin, lui répond Oleg.

C'est aussi ce que je pense. Il me semble que Dimitri aurait laissé un message pour me rassurer.

— Est-ce que tu crois que Baltazar l'a trouvée, Zan ? reprend Jo.

— Je ne sais pas, Jo, je ne sais pas. Quelqu'un a vu Baltazar ce matin ?

— Non, répondent ensemble Jo et Oleg.

Oleg traduit pour les jumelles. Les deux petites blondes font non de la tête.

— Qu'est-ce qu'on fait alors ? demande Jo.

— On ne peut rien faire, je réponds. On ne peut rien faire, sauf retourner s'entraîner et garder les yeux ouverts.

On se dirige ensemble vers le chapiteau, vers nos accessoires. Avec le cœur qui pendouille un peu à côté de nous.

C'est Oleg qui se reprend le plus vite.

— Attention ! Restez bien concentrés, sinon, vous allez vous faire mal !

14 h 24 — **Pratique, exercice, pratique, monte, descend, grimpe !**

— Zan !

— Oui, monsieur Baltazar, je fais en descendant de mon perchoir.

— Zan, où est la nouvelle musique pour le spectacle de demain ? Où est-elle ?

— Je ne l'ai pas terminée, monsieur Baltazar. Je n'ai pas eu le temps hier.

C'est vrai que je n'ai pas pu finir. Mais j'avais aussi pris une décision. Une décision FONDAMENTALE ! Je ne donnerai pas MA musique à Baltazar ! Il ne la mérite pas ! Ma musique, c'est un cadeau. Et un cadeau, je n'en donne qu'à ceux que j'aime ! Et lui, je ne l'aime pas !

— Tu ne tiens pas tes promesses, Zan. Je me le rappellerai ! Je me rappellerai tout. Gare à toi ! Après le spectacle de demain ! Je te réglerai ton compte !

Et ses yeux sont terriblement méchants !

C'est sûr maintenant. Je l'ai vu dans son regard.

C'est lui qui a trouvé Sofi.

16 h 38 — **Petite pause de travail.**
Monsieur Bach nous a apporté des biscuits et du jus.

— Avez-vous vu Baltazar se promener tout l'après-midi ? chuchote Jo.

— Ouais…

227

— C'est bizarre... il a l'air super content de lui... comme s'il préparait le meilleur coup de sa vie!

— Peut-être que c'est ce qu'il prépare! Le spectacle de demain soir!

— Je parie que..., commence Jo. Mais il s'arrête. Personne n'a vu Sofi?

— Non.

Il n'y a plus rien à faire, plus rien à dire... On retourne tous travailler.

**19 h 34 — Fini de souper,
fini de travailler pour aujourd'hui.**

— Vous voulez que je vous fasse un très joli feu? nous demande monsieur Bach en passant sa tête dans notre roulotte. Il ne sait plus comment nous refaire sourire.

— Non merci, monsieur Bach, je lui réponds. Pas de feu ce soir. On a beaucoup de travail. On coud.

Il y a des bouts de tissus partout dans la roulotte. On coupe, coud, essaie, recommence... Mais ça ne sera jamais prêt!

0 h 22

Pas de nouvelles de Sofi! Elle s'est volatilisée!

Viens Élixir! Ce soir, tu dors avec moi, sous ma couverture.

Je me sens un peu...

Je me sens un peu pas bien!

QUELLE HORREUR! QUELLE HORREUR!

Le spectacle. La fameuse apothéose de Baltazar! Sûrement le jour le plus horrible de la terre!

10 h 22

On a fouillé absolument partout! Partout! Sauf, bien sûr, dans la roulotte de Baltazar! Et résultat: aucune trace de Sofi. Et aucun message de Dimitri!

Il faut se rendre à l'évidence. Il n'y aura pas de prince sauveur, encore moins de Boris ou de Dimitri pour nous sauver du spectacle!

Cette fois, bien... cette fois, on a perdu la foi! La foi en Dimitri, la foi en Boris le clown! Il ne nous reste que nous-mêmes sur qui compter! Les mousquetaires! Mais les mousquetaires ne se sentent pas très en forme!

On essaie de surveiller Baltazar chaque seconde. Mais, même ça, c'est impossible.

On est ABSOLUMENT certains qu'il va saboter nos accessoires ce soir. Pour être sûr qu'on rate nos numéros et qu'on tombe! Mais qu'est-ce qu'on peut faire pour l'en empêcher?

**18 h 56 — Une heure et 4 minutes avant
le début du spectacle. Dans notre roulotte.
On a quand même réussi à les finir,
nos costumes! Ils ne sont pas parfaits!
On a manqué de temps!**

— Oleg, tu as bien vérifié le costume des jumelles.

— Oui, Zan!

— Tu crois qu'il tiendra? Que les coutures tiendront?

— Non, je ne suis pas sûr.

— Ont-elles bien compris ce qu'elles doivent faire? Explique-leur encore une fois! Lorsqu'elles vont tomber, elles doivent ABSOLUMENT tenir leur cheval très serré! Traduis, Oleg!

Oleg traduit.

— J'ai peur, Oleg, que Baltazar découvre notre truc trop vite! S'il le découvre, ça n'aura servi à rien!

— Je sais.

— En tout cas, comme les jumelles font le premier numéro, au moins, elles auront une chance. Quant à nous, on se débrouillera!

— Regarde les jumelles, Zan! Pour l'instant, elles sont juste contentes de leur nouveau costume. Au moins, on leur aura fait plaisir!

Et c'est vrai! Les jumelles se pavanent dans la roulotte, avec leur jolie robe jaune et bleue. On dirait... on dirait des petits oiseaux de paradis!

— Zan, fait Jo. Viens m'aider. Je n'arrive pas à m'attacher !

— Attends, regarde Jo, il faut attacher ce bouton.

— Tu es bien sûre que ça tiendra, Zan ?

— J'ai bien vérifié toutes les coutures et tout le système, Jo. Aie confiance !

Je lui dis ça, mais j'ai moyennement confiance ! Tout à coup, mon truc de costumes m'apparaît complètement ridicule et inutile. Mais je ne vais pas le leur dire. C'est vraiment inutile, juste avant d'accomplir quelque chose de VRAIMENT important, d'enlever la confiance, pas vrai ?

Et d'ailleurs, moi-même, j'ai besoin de confiance !

— Élixir ! Viens ici mon joli ! Ce soir, pour le spectacle, tu grimpes avec moi... dans les soies !

**19 h 32 — Trente minutes
avant le début du spectacle.**

— Zan !

— Oui, Jo ?

— Tu crois que Baltazar a encore saboté les trapèzes et tout ? Pour qu'on tombe ? Comme de couper tes soies ?

— Ne pense pas à ça Jo. Concentre-toi...

— C'est difficile de se concentrer. Il n'y a pas de magie dans ce cirque. Moi, je me concentre seulement quand c'est magique !

231

Tous cachés derrière un rideau, dans les coulisses. Les jumelles sont déjà sur leur cheval. On
les a installées, cajolées, on leur a bien installé
leur jolie nouvelle robe !

Moi, j'ai observé la foule de spectateurs. Il y
en a beaucoup ce soir. Presque tous des hommes.
Mais pas de Boris, de Dimitri, ou de qui que ce
soit qui aurait pu nous aider !

J'ai déjà vu un film de gladiateurs. Dans la
Rome ancienne. Il y avait une foule et des
esclaves qu'on jetait dans une arène, pour se
faire dévorer par des lions. Et les esclaves, avant
de rentrer dans l'arène pour se faire manger,
disaient une phrase en latin, leur langue de
l'époque : « ... *Alea*... » Quelque chose qui ressemblait à ça ! Je ne me souviens plus. Dommage !
Parce que ce soir, à 30 secondes de ce spectacle,
je me sens comme une esclave jetée aux lions et
j'aimerais bien redire cette phrase-là !

— *Alea jacta es...*, dit tout à coup Oleg.

— C'est ça, que je m'écrie, c'est exactement
cette phrase-là, Oleg ! Je pensais exactement à
la même chose que toi ! Répète-la !

— *Alea jacta es...* Ça signifie « le sort en est
jeté ! » En résumé, on a fait tout ce qui nous était
possible de faire. Maintenant, il faut avancer, quoi
qu'il arrive ! Ton idée était excellente, Zan ! Et nous
l'avons réalisée. Il n'y a plus rien d'autre à faire !
C'est Jules César qui a dit ça. Pas les gladiateurs.

Roulement de tambour! Monsieur Bach pousse les chevaux et les cavalières jumelles en piste!

Alea jacta... comment déjà?

20 h 4 — Jumelles en piste!

Baltazar ne prend même pas le temps, ce soir, de leur faire faire un tour de piste au petit trot pour faire admirer à la foule les chevaux et leurs cavalières. Tout de suite, il claque son fouet, et les bêtes partent au galop, déstabilisant les jumelles qui ne s'y attendaient pas.

Les pauvres! Clac de fouet de nouveau!

Et encore clac!

Les chevaux ont déjà pris peur!

Et le numéro commence à peine!

La foule est assise au bord de son siège!

Baltazar est au centre de la piste, avec un mauvais sourire aux lèvres.

Clac!

Les jumelles se mettent debout sur leur monture, en se tenant par la crinière. Puis, elles se penchent et se mettent... debout sur les mains!

La tête en bas, sur un cheval sans selle et parti à l'épouvante dans un petit cercle! C'est fou!

Clac! Clac! Clac!

Cette fois, c'est trop de coups de fouet pour les chevaux!

Ils ruent! Ils lèvent leurs pattes de devant en hennissant!

C'est un spectacle effrayant!

EFFRAYANT! La foule est debout!

Clac!

Les jumelles tombent! Elles tombent en bas du cheval!

Non!

Pas tout à fait!

Elles se sont toutes les deux accrochées! Accrochées à la crinière. Mais leur petit corps est tellement secoué qu'il est rendu presque SOUS le cheval!

Clac!

Baltazar veut les faire tomber!

Mais elles tiennent bon et ne lâchent pas la crinière!

Baltazar continue, continue... jusqu'à ce qu'il comprenne, enfin, qu'elles s'accrochent si fort à la crinière, qu'elles ne tomberont pas à terre.

Il finit par faire arrêter les chevaux!

Un monsieur Bach complètement bouleversé court ramener les jumelles et leur cheval dans les coulisses.

Baltazar est furieux.

Oleg s'occupe des jumelles et les descend doucement de leur mauvaise position. Monsieur Bach vient l'aider. Tout à coup, le vieux monsieur me regarde, étonné.

Il vient de découvrir le truc.

Notre truc.

Notre secret.

Je jette un coup d'œil à Baltazar, toujours furieux, parce que les jumelles ne sont pas tombées ! Et la foule, elle, crie de joie !

20 h 22 — Numéro de Jo.

Jo est à la moitié de son fil, sur son vélo à une seule roue. Il est déjà très haut. Il se met debout sur son siège, se renverse, lui aussi, la tête en bas !

Il continue de monter tout en pédalant avec ses mains !

Je vois son visage. Il est blanc, et je vois qu'il a de la difficulté.

VRRRRRRRRRRannnnnnnnnnnn !!!!

RRRRRRRoulement de tambour !

Jo sursaute, rate un coup de pédale.

Il perd son équilibre.

Baltazar essaie d'énerver Jo, qui continue sa montée ! Il est rendu en haut ! Il se remet debout et...

Vrrrrrrrrrannnnnnnn !!!!!

Jo ne bouge plus, debout sur son siège d'uni-cycle. C'est intenable, je le sais.

Et tout à coup, Jo, debout sur le siège, commence à descendre ! Il prend de la vitesse, trop de vitesse ! Il va trop vite ! Beaucoup trop vite !

Baltazar s'approche du fil de fer. Et il tire sur le fil.

IL LE FAIT BOUGER !

Baltazar fait trembler le fil de fer jusqu'à ce que Jo tombe! En pleine vitesse!

L'unicycle tombe sur le sol! Jo va le suivre sur le sol et se fracasser, c'est certain.

Je croise les doigts.

Non!

Jo a réussi à s'accrocher. S'accrocher par une main, et il reste pendu au-dessus de la piste!

Puis, il se remet à descendre en s'aidant de ses mains!

Baltazar, en bas, est plus furieux que jamais. Il fait encore trembler le fil. Mais Jo tient bon... et réussit à descendre jusqu'au sol...

Sans se faire mal!

Ouf!

On en a sauvé un deuxième!

Notre truc fonctionne!

Et Baltazar ne l'a pas encore découvert!

Mais il est maintenant absolument hors de lui.

21 h 48 — Numéro d'Oleg.

Jusqu'ici, la chance est de notre côté! Mais je ne suis pas sûre qu'elle continue!!! C'est beaucoup lui demander, à la chance, de nous protéger toute la soirée!

Baltazar parle à la foule! Je ne comprends pas ce qu'il dit. Oleg, à côté de moi, se prépare à avancer sur la piste.

— Zan ! qu'il fait tout à coup ! Zan ! Écoute ce que Baltazar dit !

— Tu sais bien que je ne comprends pas, Oleg !

— Il dit... il dit que nous allons faire notre numéro en même temps !

— Quoi ?

— Oui, et qu'avec mon trapèze, je dois aller te chercher aux soies, puis te lancer de nouveau, comme une balle, vers ta soie !

— Mais c'est fou ! Je ne suis pas une balle ! Et puis, on n'a jamais pratiqué ça ! Mais surtout, Oleg, si je lâche mes soies, le truc de notre costume ne fonctionnera pas !

— Je sais ! Mais regarde-le !

Je regarde. Baltazar est tourné vers nous, avec des yeux qui lancent des éclairs. Le fait qu'on ne tombe pas l'a rendu fou de rage et, maintenant, il veut rendre notre numéro impossible à réussir.

— Allez viens ! me fait Oleg. Je vais penser à quelque chose pendant notre numéro. Il faut y aller !

Élixir, que j'avais oublié sur mon épaule, me caresse le cou.

C'est bizarre à dire, cette caresse me donne du courage !

Baltazar nous fait avancer jusqu'à lui, après un premier roulement de tambour. Il nous regarde avec des yeux perçants. La foule est totalement silencieuse. Nous aussi !

Il nous regarde… et, tout à coup, il se penche vers nous deux, passe sa main sur nos nouveaux costumes. Ça y est ! Il a découvert notre truc !

Il découvre les harnais de sécurité que nous avons cousus dans nos costumes sans qu'ils paraissent, et il tire dessus !

Tout notre travail de couture !

Il les arrache !

Nos harnais de sécurité cachés ! CAMOUFLÉS DANS NOS NOUVEAUX COSTUMES !

IL LES A DÉCOUVERTS !

Il a maintenant un sourire de… de lion, avec ses grandes dents méchantes pendant qu'il montre nos harnais à la foule !

Oleg me regarde. On est paralysés !

Baltazar claque le fouet !

Et nous oblige à monter, moi aux soies, Oleg à ses trapèzes !

On grimpe, on grimpe… avec aucune sécurité ! Plus aucune sécurité ! Quand on tombera, parce qu'on tombera, c'est sûr, on tombera jusqu'au sol, sans rien pour nous retenir !

Pendant qu'Oleg virevolte, je le regarde. On commence par les mouvements les moins dangereux ! Puis, Oleg commence à augmenter la difficulté.

À mon tour ! Je fais l'ange, la super-chute, je remonte…

À Oleg...

Oleg repart pour venir m'attraper..., il se balance le plus fort possible pour se donner un élan. Il va m'attraper !

Mais il ne m'attrape pas !

Au lieu, il reste à se balancer sur son trapèze en regardant en bas.

Je ne comprends plus.

Que fait-il Oleg ?

Une sorte de vague monte de la foule.

Qu'est-ce qu'il se passe ?

Qu'est-ce qu'ils veulent de plus, les specta-teurs ?

Je les regarde et... je vois quelque chose !

Jo est remonté sur son fil... en marchant... en marchant... qu'est-ce qu'il fait ?

Où va-t-il ?

Et Jo a mis une des robes des jumelles ! Mais c'est impossible !

Elles sont trop petites pour lui, ces robes-là !

Et puis, c'est ridicule !

Et tout à coup, Jo ouvre une ombrelle. Une ombrelle d'équilibre...

Mais qu'est-ce qui se passe ?

Je regarde Baltazar. Il est debout au milieu de la piste, la bouche ouverte, le visage blanc ! Il ne comprend rien de ce qui se passe, lui non plus !

Je regarde Jo de nouveau. Jo et son ombrelle... son ombrelle..., mais je la reconnais cette ombrelle d'équilibre… C'est l'ombrelle d'équilibre de…

De Sofi ! Ce n'est pas Jo qui fait le funambule, c'est Sofi ! ! !

Et si Sofi est ici, peut-être que…

Je regarde de nouveau en bas. Et je vois… je vois…

Plein de spectateurs sur la piste ! SUR LA PISTE ! !

Ils portent tous de grands chapeaux de paille jaune, mais je ne vois pas leur visage !

Des chapeaux de paille pointus !

On dirait une foule de pics jaunes sur la piste ! Des pics qui bougent !

Des piquants jaunes !

Et je vois très bien ce qu'ils font !

Et ce qu'ils font, devant Baltazar complètement paralysé, c'est qu'ils étendent, sous Oleg et sous moi…, ils étendent, pour nous, UN GRAND FILET DE SÉCURITÉ !

Et tout à coup, un des pics jaunes enlève son chapeau, regarde en haut, vers nous, avec un grand sourire !

Il porte un nez rouge. Un nez de clown !

Boris !

Boris le clown !

Je fais signe à Oleg.

On lâche tout et on se jette tous les deux en bas, en même temps !

Boris, Boris et ses amis ne nous laisseront pas tomber !

22 h 2 — Dans le chapiteau.

— Le spectacle est terminé ! Terminé ! Rentrez tous chez vous ! Il n'y a plus rien à voir !

Boris se tient au milieu de la piste et il parle aux spectateurs. Il n'a plus l'air d'un clown drôle. Il est au contraire très sérieux ! TRÈS TRÈS sérieux !

Dimitri ! Mais oui ! Dimitri, lui-même, a saisi Baltazar et le tient par le collet à côté de Boris.

— Et notre argent ? crient les spectateurs. Et notre argent ? Nous avons gagné notre pari ! Les artistes ne sont pas tombés ! Cet homme-là, Baltazar, nous doit beaucoup d'argent !

— Il n'y aura pas d'argent ce soir, répond Boris d'une voix forte. Ni ce soir, ni plus jamais ! Partez ! Retournez chez vous ! Et méditez sur votre honte de parier sur la vie de jeunes enfants ! Allez ! Disparaissez avant que je ne me fâche sérieusement ! !

Et il claque son fouet. Les spectateurs disparaissent sans demander leur reste !

Le chapiteau se vide.

Boris se tourne alors vers Baltazar, enlève son nez de clown.

— Et maintenant, à nous deux, mon sale bonhomme ! À nous deux !

Je ne sais pas ce que pense Baltazar du « sale bonhomme » ! Mais ce que je sais, c'est qu'il se doute qu'il va passer un sale quart d'heure avec Boris !

23 h 12

On est tous réunis dans la roulotte de Baltazar. Baltazar, lui-même, assis sur la couchette, la tête baissée. Puis Boris, Dimitri, Oleg, Jo, Sofi, monsieur Bach et moi. C'est petit, mais on ne le sent même pas !

— D'abord, fait Boris qui ressemble maintenant à un justicier, explique-moi, Zan. Explique-moi ce truc avec vos costumes et les harnais cachés !

— Bien... voilà... c'est simple ! Un jour, j'ai amené les chevaux à l'étang pour les faire boire. J'avais, évidemment, mis leur bride à tous les trois, pour pouvoir les guider. Et pendant que j'étais assise en train de réfléchir, je me suis tout à coup rendu compte avec horreur que les chevaux avaient perdu leur bride sans que je le vois ! Je me suis dit que Baltazar serait absolument furieux ! J'ai cherché, j'ai cherché partout sur le sol, dans le pré ! Aucune trace des brides. Elles avaient disparu ! Alors, comme le temps passait, j'ai dû rentrer les chevaux sans leur bride. Et c'est en attrapant les chevaux par leur cou que j'ai retrouvé les brides ! Cachées dans leur crinière ! En fait, je me suis rendu compte que je n'avais jamais perdu

242

les brides! Simplement, JE NE LES VOYAIS PLUS PARCE QU'ELLES ÉTAIENT DE LA **MÊME COULEUR** QUE LEUR CRINIÈRE! Les brides étaient devenues INVISIBLES! Alors, ça m'a donné une idée! Je me suis dit qu'on devrait se fabriquer des costumes pour le spectacle, MAIS EN COUSANT, AVEC DU TISSU DE LA MÊME COULEUR QUE LE COSTUME, DES HARNAIS DE SÉCURITÉ!!!!!! DES HARNAIS QUI DEVIEN-DRAIENT INVISIBLES POUR BALTAZAR, QUI NE POURRAIT PLUS LES VOIR! C'est ce que nous avons fait. On avait tous un harnais cousu et caché dans notre costume. Par exemple, avant leur numéro, nous avons installé les jumelles sur leur cheval, en attachant leur harnais dans un nœud de la crinière sans qu'on puisse le voir! À moins, bien sûr, de regarder de près! Mais Baltazar n'a pas regardé! C'est la raison pour laquelle les jumelles ne sont pas tombées sur le sol! En fait, elles étaient attachées!

Là, je m'arrête un instant pour reprendre mon souffle.

— Et voilà! C'était mon idée pour nous protéger tous! Et on a tous travaillé très fort pour fabriquer les costumes à temps pour ce spectacle! Une simple idée!

— Une géniale idée, Zan! Une idée de génie!

Boris me regarde avec un air... un air d'admi-ration! Lui, le grand Boris! Huuummm!!!!

Génie! Moi!

J'aime ça!

— Merci, je fais, super humble.

En fait, je dois être toute rouge comme... un champignon rouge! Est-ce que ça existe?

Boris se tourne vers Baltazar.

— Maintenant à nous deux, Baltazar! Tu m'as trahi! Et tu as trahi le merveilleux monde du cirque! Tu as fait des paris en risquant la vie de tes artistes, qui, en plus, ne sont que des enfants. Pour cette offense, la plus grave qui soit, tu seras jugé devant le tribunal des gens du cirque!

— Mais...

— Tais-toi! Tais-toi! C'est moi qui parle! Monsieur Bach m'a écrit une longue lettre. Et Zan m'a tout raconté. Et aussi la petite Sofi qui était dans le cirque de ton ami, un homme aussi malveillant que toi! Vous avez utilisé le cirque pour faire de l'argent mal gagné! Je sais tout, tu m'entends!

Minuit — Monsieur Bach a fait un feu!

— Qu'est-ce que c'est que cette histoire de paris? demande Jo. Tu as compris quelque chose, toi Zan?

Monsieur Bach est bouleversé.

— Je ne savais pas, dit-il... je ne savais que Baltazar pouvait aller si loin! Être si dangereux! Je ne savais pas!

244

— Explique-moi, Zan. Qu'est-ce que tu as compris ? redemande Jo. Que faisait-il Baltazar avec nous ?

— Baltazar fait des paris ! Des paris sur nous ! Des paris sur le fait qu'on va tomber ou pas ! Et ce soir, il était furieux parce qu'il avait parié avec les spectateurs que nous tomberions ! Et personne n'est tombé ! Et c'est la raison pour laquelle il était aussi furieux. Tu vois Jo, les spectateurs ne viennent pas au Cirque Nomade pour voir nos numéros, mais pour parier de l'argent sur nous. Et Baltazar sabote nos numéros pour qu'on tombe et qu'il gagne ses paris ! Il fait beaucoup beaucoup d'argent comme ça !

— Je ne comprends pas vraiment, Zan...

— C'est comme quand on joue aux billes ! On parie notre plus belle grosse bille tout en couleurs qu'on est capable de mettre 10 petites billes dans le petit trou. Et si on n'est pas capable, eh bien, on perd notre belle bille colorée et on est obligé de la donner aux autres ! Et Baltazar, pour être sûr de gagner, il trichait, il trafiquait ses billes ! Enfin, pas ses billes, nous ! Il a mis de la gomme à mâcher sur ton fil de fer et il a coupé mes soies ! J'ai raison, pas vrai, monsieur Bach ?

Il hoche la tête super, super triste.

— Oui, tu as raison, Zan. Baltazar rend vos numéros dangereux parce qu'il peut gagner de l'argent avec des paris sur vous ! Il dit que vous tomberez! Et les spectateurs disent que non, vous ne tomberez pas. Et il vous fait tomber exprès, pour gagner!

— Je croyais que les paris n'existaient pas vraiment! fait Oleg.

— Mais ça existe, malheureusement, répond monsieur Bach. Et même dans un cirque qui devrait être l'endroit le plus heureux au monde!

1 h — Dans notre roulotte, qui est redevenue la Roulotte-soleil! Boris et Dimitri sont restés seuls avec Baltazar et ils continuent de régler leurs comptes! Aïe! Ça doit mal aller pour Baltazar! Tant mieux!

Oleg a expliqué aux jumelles que le danger était terminé pour elles. Elles ont retrouvé leur sourire. Mais pas leur dent du milieu! Il y a toujours un gros trou! J'ai couché Sofi à côté de moi, dans ma couchette. On se cache toutes les deux sous ma couverture!

— Sofi, quand on t'a laissée dans notre placard, qu'est-ce qui est arrivé?

— Ton ami... ton ami Dimitri est venu. Il a ouvert la porte du placard, a fouillé sous les vêtements et m'a trouvée! Parce que j'ai éternué!

— Ah! Non! Je t'avais dit de te retenir!

— Oui, mais je n'ai pas pu! Dimitri a ri! Il avait un drôle de papier à la main, avec des dessins!

246

— Le message que je lui avais laissé! On se parle en dessins entre nous.

— Oui, j'ai compris. Dimitri m'a fait sortir du Cirque Nomade et m'a amenée chez Boris. Je lui ai tout raconté. Boris était furieux! Puis, il a disparu et lorsqu'il est revenu, il m'a expliqué son plan. Celui de venir à votre spectacle et de confronter Baltazar. Et c'est ce que nous avons fait!

— Génial! Tu sais, j'ai eu terriblement peur! Tu avais disparu et puis... je n'avais plus aucune nouvelle! Ni de Dimitri ni de toi et encore moins de Boris! J'ai bien cru qu'il nous avait abandonnés!

— Je ne crois pas que Boris abandonne quelqu'un qui nage dans les problèmes! Surtout dans le monde merveilleux du cirque! C'est... c'est sa planète sacrée!

— C'est drôle que tu parles de planète! Je pense comme ça aussi!

— Zan...

— Oui?

— Tu sais, parlant de planète-cirque... Quand est-ce qu'on pourra retourner chez nous? Sur notre côté de planète à nous?

Je soupire.

Il vaut mieux dire la vérité à Sofi.

— Je ne sais pas, Sofi. C'est loin, très loin chez nous! Tu ferais mieux de dormir! Ce n'est pas bon d'avoir des pensées noires au milieu de

la nuit. Il fait... il fait trop noir pour penser!
Dors!

Je ne sais pas si elle peut dormir. Mais moi
pas. Je ne dors pas! Je me souviens de la carte
de *PlanèteTroouve*! On est loin, si loin... il y a tant
de difficultés avant de pouvoir retourner chez
nous! Les avions, les passeports... Et puis,
même si on retournait au SAS, ce serait pour
regarder nos amis aussi en danger que nous?
Qu'est-ce qu'on pourrait faire, là-bas, pour les
aider? Il n'y a pas toujours un Boris le clown là
présent pour aider.

2 h

Boris passe sa tête par la porte de la roulotte.

— Zan, tu dors?

— Non.

— Zan, je connais maintenant le lien entre
Baltazar et le SAS. Baltazar me l'a expliqué.
Nous devons en parler. C'est urgent. La mission,
NOTRE mission n'est pas terminée! IL Y A
ENCORE DU DANGER!

19 SEPTEMBRE

C'est drôle! C'est vraiment drôle!

Élixir est posé sur le sommet du crâne d'Oleg,
qui est encore emmitouflé dans sa couverture,
tout endormi. Et Élixir chante à pleins poumons!
Je n'ai jamais entendu des notes pareilles! On

248

dirait un chanteur d'opéra posé sur une estrade de cheveux en brousse! Oleg se met à marmonner. Il ne veut pas se réveiller!

Je m'assois droite dans mon lit. Le soleil enflamme toute la Roulotte-soleil. Mais le soleil se trompe. Ce matin, ce n'est pas la Roulotte-soleil, c'est la Roulotte-sommeil. Personne ne veut ouvrir les yeux!

9 h 43 — Quelle cacophonie!
(Ce mot-là, je le connais. Il signifie «entendre plein de bruits mélangés et trop forts»,
comme quand j'essaie de faire de la musique qui n'est vraiment pas bonne)
Un gros vacarme!

Jo parle par-dessus Oleg, qui parle par-dessus monsieur Bach, qui parle par-dessus les jumelles, qui parlent par-dessus Sofi, qui parle par-dessus Élixir! Même les chevaux rient! Enfin, si on peut dire ça comme ça! Ils ont la bouche ouverte sur leurs grandes dents pleines de foin!

Monsieur Bach nous a préparé un déjeuner de rois! Des tonnes de crêpes, des tonnes de jambon, des mégalitres de sirop sucré, du beurre chaud et fondant! Et une grosse marmite de chocolat chaud! On plonge une grosse louche de soupe pour remplir nos tasses!

J'ai le soleil dans les yeux. Mais pas dans le cœur. Pas après ma conversation de cette nuit avec Boris.

Et aussi, je ne sais pas ce qui va arriver maintenant à Oleg, aux jumelles, à Jo... et même à Dimitri ?

— Monsieur Bach...

— Oui, ma petite Zan ?

— Monsieur Bach, où sont les parents d'Oleg, de Jo et des jumelles ? Est-ce qu'ils ont une famille ?

— Une famille ? Non... Ils n'ont pas une famille, une famille normale avec un père, une mère, des sœurs, des frères...

— Mais où est-elle passée leur famille ? Qu'est-ce qui leur est arrivé ?

— Tu sais, Zan, dans ce pays et dans les pays que nous avons traversés ensemble depuis que tu es avec nous, dans ces pays-là, il y a une mauvaise histoire, un mauvais passé..., des guerres, de la famine, des familles dispersées qui ne savent pas trop où aller... Et il y a plein, plein d'enfants qui n'ont plus de famille...

— Oh !... Mais qu'est-ce qui va leur arriver ? Où vont-ils aller maintenant ?

Il ne répond pas à ma question. Il m'en pose plutôt une autre.

— Et toi, Zan... tu as une famille ?

— Non. Non. Pas vraiment. Enfin, j'ai une mère, mais elle est malade. Très malade. Mais j'ai mes amis ici. Et j'ai mes amis, chez moi, au SAS.

Monsieur Bach me fait un beau sourire.

— Alors, tu vois bien que tu as une famille ! Et la preuve que tu as une famille, je vais te la donner tout de suite !

Et voilà qu'il prend un gros torchon et me le passe sur le visage.

— Tu avais une grosse moustache de chocolat chaud sur la bouche, Zan ! Et tu avoueras que ça ne fait pas sérieux !

Et il se penche vers moi et me chuchote à l'orcille.

— Qui essuie toujours les bouches pleines de chocolat des enfants, Zan ?

— Les mamans ?

— Oui. Les mamans et les grands-pères comme moi ! Tu as une famille, Zan !

14 h 39 — Au Cirque Nomade, qui est devenu le Cirque vacances !

On a monté les chevaux pendant des heures ! Et on a galopé dans toute la prairie ! En fait, depuis ce matin, on ne fait que s'amuser !

S'amuser le cœur léger parce que Baltazar a disparu ! Personne ne l'a revu ! Je ne sais pas ce que Boris en a fait, mais... bon débarras ! On n'a pas vu Boris non plus ! Mais j'ai décidé, décidé, juste pour aujourd'hui, de ne pas m'inquiéter !

Demain on verra ! Demain est un autre jour !

20 h — Monsieur Bach a fait un de ces feux magiques !

Je ne sais pas comment, mais le vieux monsieur a réussi à dénicher des guimauves ! Des guimauves ! Et il nous a montré comment les faire fondre sur la braise !

Boris est revenu ! Il est drôle ! Un vrai clown ! Il construit des animaux en guimauve fondue et les avale ! Il prend des branches et en fait des cornes, comme un taureau, mais un taureau maladroit et qui tombe sans arrêt ! Monsieur Bach joue du Bach au violon ! Et moi, je lui réponds avec MA version toute tordue au clavier ! Une vraie soirée de fête !

Tout à coup, Boris retire ses cornes de branches, se lève et se tourne vers nous.

— Un peu de silence, s'il vous plaît ! Silence !

Le brouhaha s'éteint. Boris est soudain redevenu tout sérieux.

— Ceci est la dernière soirée que nous passons avec Zan ! Elle retourne chez elle ! Dans son pays !

Boris se tourne vers moi.

— Est-ce que tu es contente, Zan ?

— Euh oui, je fais faiblement.

— Tu n'es pas heureuse ?

— Oui. Oui... mais mes amis ? Oleg et tous les autres ?

— Ils restent avec moi ! Tous ! Les jumelles, Jo, Oleg et même Dimitri viennent habiter chez moi, dans ma maison. Et même Sofi, pour le moment. Et ils feront désormais partie de mon cirque, le Cirque des Saltimbanques !

C'est bizarre ! Bizarre, parce que tout le monde aurait dû, AURAIT VRAIMENT DÛ, pousser des cris de joie, moi la première ! Et pourtant, nous sommes tous silencieux ! Je ne sais pas pourquoi... sauf que... sauf que... on est... on est comme tristes... Peut-être parce qu'on va tous se quitter ? Et qu'on ne se reverra jamais, jamais ?

— Je... je vous remercie, Boris..., c'est tout ce que je trouve à dire.

On dirait que la fête s'est éteinte tout d'un coup, comme si on avait jeté de l'eau sur notre feu de joie. J'ai quand même le temps de me dire qu'on n'est jamais content dans la vie ! Je voulais tellement retourner chez moi ! Et maintenant que j'y retourne, je ne suis plus heureuse... Les humains sont vraiment très compliqués ! Il faut dire aussi que ce ne sera pas terrible là-bas... C'est ce que m'a dit Boris en secret.

— Demain, Zan tu prends l'avion qui te ramènera chez toi ! En attendant, Zan, monsieur Bach t'a préparé un cadeau.

— Un cadeau ?

— Oui, petite Zan, fait monsieur Bach en s'approchant de moi ! Un cadeau pour te remercier de tous tes efforts et de ton courage pour avoir fait fuir le mauvais nuage qui planait au-dessus du Cirque Nomade. Tu as été très courageuse, Zan. Alors, voici ce que j'ai fabriqué pour toi... pour toi et pour Élixir!

Et il me présente... ses broches à tricoter!

Oui! Les drôles de broches à tricoter qu'il passait tout son temps à fabriquer! Sauf que ce ne sont pas des broches! Ce sont les barreaux d'une cage! La plus magnifique des cages pour Élixir! Toute peinte avec des portraits de Jo, d'Oleg, des jumelles, de monsieur Bach, de moi et même des chevaux!

— Regarde, Zan, m'explique monsieur Bach. Cette cage-là n'est pas comme les autres! Les dessins te rappelleront toujours nous!

Il ouvre la porte de la cage. La porte est grande, tellement grande que 10 Élixir pourraient la passer!

— Tu vois, Zan, cette cage-là n'est pas faite pour enfermer Élixir, pour le faire prisonnier! Vraiment, ce n'est pas SA cage, mais plutôt SA maison! SA maison pour voyager avec toi! Et si la porte est si grande, c'est pour que tu te souviennes toujours...

— ... TOUJOURS, fait Boris d'un ton solennel.

— ... Que tu te rappelles toujours que les oiseaux, les beaux et grands oiseaux comme toi, ma belle petite Zan, et tes amis, êtes faits pour voler dans le soleil!

0 h 22 — Dans mon petit lit
de la Roulotte-soleil !

Je ne sais pas si j'ai tout compris le long discours de monsieur Bach ! Moi, des fois, les discours des adultes, je les trouve un peu grandioses ! Et je ne sais pas si je suis vraiment un oiseau qui s'envolera toujours !

Mais je sais que je n'ai rien trouvé à répondre quand ils se sont tous levés pour chanter et applaudir !

Maintenant, Élixir est dans sa nouvelle maison, au bout de mon lit. Il dort. Demain sera mon dernier jour au Cirque Nomade.

Et mon cœur est tout mélangé. Je suis triste ou je suis contente ?

20 SEPTEMBRE

On a décroché, dans une grande cérémonie, le drapeau de la Roulotte-soleil. Le drapeau que j'avais fabriqué avec les « bienvenue » dans toutes les langues. Oleg l'a roulé soigneusement et l'a mis dans mes bagages.

On a aussi soigneusement roulé toutes nos larmes et on les a rangées dans notre mémoire.

Et maintenant, à l'avion !

21 SEPTEMBRE

Avion et avion ! J'ai pris deux avions !

Quand même génial ! J'adore les voyages !
Voir la planète comme les oiseaux !

Parlant oiseau, Élixir voyage avec moi comme
un prince, dans sa belle maison ! Il se prend vraiment pour un chanteur d'opéra depuis quelque
temps !

Je regarde par le hublot de l'avion. Je vois les
petites fourmis humaines, les minuscules autos-
jouets ! Elles grossissent ! Elles grossissent !

Qu'est-ce qui m'attend quand je vais atterrir ?

Qu'est-ce qui m'attend au SAS ?

Est-ce que je serai capable de faire ce que j'ai
promis à Boris ?

Et Filis ?

Est-ce qu'il est toujours là ?

Est-ce qu'il va bien ?

Filis...

Ça me fait peur de retourner chez moi !

Qu'est-ce qui m'attend ?

22 SEPTEMBRE

Madame Ursule !

C'est madame Ursule qui m'attend !

Madame Ursule, ma voisine du dessus ! Celle
qui vit au-dessus de mon appartement, où j'ha-

bitais avec maman! Celle aussi qui donnait des soins à maman quand je n'étais pas là!

Elle est là, devant moi, au milieu des milliers de voyageurs qui attendent à l'aéroport. Il y a peut-être des milliers de personnes qui courent partout dans cet aéroport, mais madame Ursule est aussi visible que le nez rouge de Boris au milieu de la figure!

D'abord, elle a une robe avec des fleurs g-i-g-a-n-t-e-s-q-u-e-s!!!!

Rouges, bleues et jaunes!

Ensuite, elle a un chapeau! Mais un de ces chapeaux!

Avec des fleurs g-i-g-a-n-t-e-s-q-u-e-s!!!

Rouges, bleues et... non! Il n'y en a pas de jaunes!

Mais ce qui rend madame Ursule si remarquable, au milieu de tous les autres voyageurs, ce sont ses baguettes! Elle a les baguettes en l'air, aussi agitées qu'un moulin à vent par un jour de grands vents!

Et puis, ses cris! Elle aussi, je crois, se prend, comme Élixir, pour une chanteuse d'opéra!

— Zan! Zan! Zan!

Elle a la voix super aiguë! Et c'est tout ce qu'elle trouve à répéter!

— Zan! Zan! Zan!

Moi, je m'approche d'elle, ma belle cage à la main, un peu gênée! C'est que tout le monde nous regarde ! Moi et mon oiseau ! Et elle, ses cris et ses fleurs !

Peut-être qu'à nous voir ainsi, la dame aux fleurs et l'enfant à l'oiseau, les voyageurs nous prennent pour un jardin ambulant ? Au milieu d'un aéroport !

23 SEPTEMBRE

J'ai dormi dans MON lit. Dans MON appartement. Et je mange un déjeuner dans MA petite cuisine.

C'est bien.

Mais ce qui n'est pas bien, c'est que mon appartement est vide.

Sauf pour Élixir, je suis toute seule. Maman, ma maman n'est plus là. Il y a juste son grand lit vide au milieu du salon. Madame Ursule m'a dit hier soir que maman était toujours à l'hôpital. Toujours aussi... aussi... bien... comme une sorte de légume qui ne parle pas et qui ne bouge pas !

Bon.

Madame Ursule a tellement parlé, hier soir, que je n'ai rien compris de ce qu'elle m'a raconté ! Sauf que j'ai bien compris, ça oui, qu'elle était super contente de me voir !

C'est bien, parce que madame Ursule, avant, me reprochait toujours plein de choses. « Tu n'as pas fait ton ménage, tu n'as pas fait tes devoirs, tu n'as pas fait la vaisselle, tu n'as pas fait ton lavage... »

Madame Ursule, avant, c'était une madame « tu n'as pas fait » !

Et hier, elle était si contente de me retrouver, qu'elle s'est transformée en madame « je vais faire » ! « Je vais faire ton ménage, je fais faire ton déjeuner, je vais faire une belle fête... » Je ne sais pas combien de temps avant que la madame « je vais faire » redevienne madame « tu n'as pas fait » ! Mais en attendant, je trouve ça plutôt chouette !

Bon.

Aujourd'hui, j'ai beaucoup à faire !

Parce qu'aujourd'hui, je retourne au SAS !

Et je n'ai qu'une pensée en tête, ce que Boris m'a dit avant de partir.

Il y a du danger.

10 h 43 — *CHEZ MOI ! CHEZ MOI ! CHEZ MOI ! AU SAS, ENFIN !*

La première, première fois de toute ma vie que j'ai mis les pieds au SAS, je pensais que j'étais dans un décor de film de peur. Tout était sale, rouillé et plein de brume.

Mais là, juste là, aujourd'hui, en remettant les pieds au SAS après un si long moment, je suis estomaquée (oui... oui, j'ai l'estomac à l'envers !).

Parce que le décor du SAS ce matin, c'est celui d'un film triste, d'un film dramatique qui finit mal! Tout est sombre, jauni et terne! Comme dans les films où les héros meurent à la fin.

Je m'avance doucement.

— Qu'est-ce que tu fais ici? Qui es-tu? Tu n'as pas le droit de venir ici! me lance un gros cigare.

Moi, je le reconnais tout de suite, ce cigare-là! C'est monsieur Trempe, le nouveau directeur du SAS, celui qui a remplacé l'autre d'avant, Dex. Monsieur Trempe qui nous a envoyées, Sofi et moi, au bout du monde!

— Mais je te reconnais! qu'il fait au bout d'un moment. Tu es Zan, pas vrai?

— Oui, monsieur Trempe.

Il devient mauvais.

— Mais qu'est-ce que tu fais ici? Je te croyais pourtant au Cirque Nomade?

— Le Cirque Nomade n'existe plus, monsieur Trempe. Ils m'ont renvoyée ici.

Est-ce qu'il va me croire? En tout cas, Boris m'a dit que c'était une bonne histoire, qu'il me croirait. On va bien voir!

Ça lui prend quelques secondes, à monsieur Trempe, à la digérer mon histoire.

— Bon. Bon. Je vérifierai. Je vais téléphoner à Baltazar.

Non! Il ne faut pas qu'il téléphone à Baltazar! Parce que Baltazar est en prison! Je le sais, moi, Boris me l'a dit.

— Vous pouvez bien téléphoner, monsieur Trempe. En attendant, je voudrais revenir au SAS. Est-ce que vous voulez bien?

Il m'observe avec ses yeux soupçonneux.

— D'accord! Mais il te faudra travailler fort! Ici, ce n'est plus comme avant! On ne s'amuse plus!

Ça, je le sais! Filis me l'a assez écrit!

— Tu fais toujours des soies?

— Oui, monsieur Trempe. Je suis d'ailleurs devenue très bonne! Je peux faire des sauts et des figures très difficiles.

Là, il est heureux. Parce que le SAS est devenu comme le Cirque Nomade. Seulement des numéros casse-cou, pour faire des paris. Monsieur Trempe fait aussi des paris, Boris me l'a expliqué. Mais l'important maintenant, c'est que monsieur Trempe ne se doute pas que je le sais! Sinon, je ne pourrai rien faire.

— D'accord! Va t'entraîner!

— Où sont... où sont les autres messieurs? Filis, Alexis...

— Alexis, l'idiot, a une cheville cassée! Je l'ai obligé à être funambule et il n'aimait pas ça! Et en plus, c'est le plus mauvais funambule que j'aie jamais vu! Et Filis est blessé aussi, mais lui, il continue de travailler! Il ne devrait pas tarder à arriver d'ailleurs! Allez! Si tu veux que je te garde, prouve-le! Va travailler!

— Bien, monsieur!

11 h 22 — Moment de vérité !
Filis arrive ! MON Filis !

— Zan !

— Chuuuuuut !

— Mais ?...

— Chuuuuuut ! Va travailler et ne dis rien !

— Ah ! Bon...

Midi — Dîner — J'ai retrouvé mes fameux
sandwiches aux concombres !
Il n'y a pas à dire, je m'en ennuyais !

Filis voulait me parler ! Et moi, je voulais lui parler ! Et parler aussi à mes autres amis du SAS, Christelle...

Mais monsieur Trempe ne nous a pas laissés faire. Il m'a éloignée des autres. Je suis obligée de manger toute seule, dans son bureau.

Mes amis ont tous les traits tirés, fatigués. Épuisés. Comme s'ils n'avaient pas dormi depuis mon départ, il y a si, si longtemps !

Ce n'est pas beau à voir tout ça ! Vraiment pas beau à voir !

Vous ne perdez rien pour attendre, monsieur Trempe, que je me dis en le regardant avaler son gros hamburger !

Vous ne perdez rien pour attendre, comme je l'ai entendu dans mes films !

**20 h — À mon appartement toujours vide.
Mais ça ne fait rien ! J'ai du travail à faire !
Une mission !**

Et ma mission passe par l'ordinateur ! J'ouvre ma messagerie. Dans les jours qui viennent, je vais avoir beaucoup, beaucoup de conversations avec Boris à cette adresse !

Zan@Boris

Et je me mets à taper aussi fort que si j'étais dans un concours de tapage !

24 SEPTEMBRE

9 h — Au SAS

— Rassemblement !

Tiens ! c'est curieux ! Monsieur Trempe utilise les mêmes mots que Rom, notre cher cher entraîneur Rom, utilisait quand il voulait nous parler ! Ça me fait chaud au cœur. Sauf que Rom, je ne l'ai pas vu au SAS depuis que je suis revenue ! Où est-il passé, celui-là ! C'était notre seul allié ! Et j'ai besoin de lui, moi, je ne peux pas tout faire toute seule !

— Nous allons donner un spectacle dans 2 jours ! crie monsieur Trempe, comme s'il n'était pas capable de parler avec une voix normale !

Dans 2 jours ! Mais ce n'est pas assez ! Je n'ai pas assez de temps ! Aïe !

— Quand allez-vous remettre le filet de sécurité, monsieur Trempe ? Le filet de sécurité et les harnais ? je lui demande d'une voix innocente.

— Le filet de sécurité ? Je t'ai dit, Zan, que le SAS avait beaucoup changé depuis ton départ. Et l'une des choses qui a changé, c'est qu'il n'y a plus de sécurité au SAS. Les spectateurs aiment le danger, et c'est exactement ce que nous lui donnons ! Du danger ! Allez ! Au travail maintenant et que je n'entende plus un mot !

Ça, il n'avait pas besoin de le rajouter ! Tout le monde reste muet comme une carpe devant lui.

12 h 23 — Monsieur Trempe a dû partir !
Bonne chose ! Parce qu'on peut parler,
Filis et moi ! Enfin !

— Zan, tu ne sais pas ! fait un Filis que je ne connais plus, un Filis tout énervé. Tu ne comprends pas ! Ce spectacle que nous allons donner dans 2 jours, ce sera une catastrophe ! Une véritable catastrophe ! On se blessera ! Et on mettra notre vie en danger !

— Je sais, Filis ! Je sais !

— Tu sais ? Comment peux-tu savoir ?

— C'est une trop longue histoire ! Et je n'ai pas le temps de te la raconter ! Dis-moi, Filis, où est Rom ? Je ne l'ai pas vu...

— Rom a disparu, lui aussi. Monsieur Trempe et lui se sont vraiment disputés. Et ensuite, Rom n'est jamais revenu! Il a disparu! Depuis, il n'y a plus que Trempe au SAS.

Mauvais coup pour moi, ça, la disparition de Rom! J'ai ABSOLUMENT besoin de lui pour m'aider! Et le spectacle qui est dans 2 jours seulement!

Je commence à être inquiète. Je ne vois pas, mais alors VRAIMENT pas, comment le plan pourra s'exécuter en seulement 2 jours!

Non! Ce sera impossible! Carrément impossible!

20 h — Je n'en pouvais plus! Madame Ursule ne se décidait pas à remonter chez elle! Enfin! Elle est repartie!

Et moi, je dois absolument, ABSOLUMENT, communiquer avec Boris!

ZAN@BORIS
MAUVAISE! TRÈS MAUVAISE NOUVELLE! Rom a disparu. Je n'ai aucune idée où il est! Et le spectacle, le spectacle dangereux, est dans 2 jours! Deux jours seulement!
Boris, qu'est-ce que je fais?

J'attends... j'attends que Boris me réponde! J'attends! J'attends...

J'attends 4 heures!

Et tout à coup!

BORIS@ZAN

265

9 h 27 — Au SAS.
Je suis DANS le bureau de monsieur Trempe.
Dans son bureau, pendant que lui n'y est pas ! Je sais que je n'ai pas le droit, mais c'est justement mon plan ! Vraiment compliqué, ce plan !

Dès que je vois le directeur pointer le bout de son nez, ou plutôt le bout de son gros cigare, à la porte du SAS, je me mets à fouiller dans tous les papiers qui se trouvent sur son bureau. Les lettres, les factures, tout ce que je trouve ! Et je fais beaucoup de bruit, pour bien lui montrer que je fouille, ABSOLUMENT, sans permission. J'ai honte de fouiller et, pour ne pas faire une trop vilaine action, je ferme les yeux, pour ne pas pouvoir lire ce qui est écrit sur ses lettres. Moi, ce que je déteste le plus au monde, c'est quelqu'un qui regarde sans permission dans mes secrets personnels ! C'est l'horreur ! Moi, ça me met en col... bon ! Passons !

Lorsque monsieur Trempe met les pieds dans son bureau, en haut de l'escalier, il s'étouffe avec sa fumée, tellement il est en colère ! Moi, mine de rien, j'ai littéralement les yeux sur une de ses lettres ! Les yeux sur sa lettre, mais je me répète, les yeux fermés !

— Oh ! Excusez-moi, monsieur Trempe ! Je ne savais pas que vous viendriez ! Enfin, pas si tôt ce matin !

— Mais ! Mais !

— Désolée de fouiller un peu...

— Un peu !

Gros nuage noir de fumée noire !

— Oui, je cherchais... je cherchais... ma fiche d'inscription au SAS ! Pour la vérifier puisque je viens de rentrer de voyage et

— Mais !...

TRÈS gros nuage noir de TRÈS grosse fumée noire !

— Mais tu ne sais pas que c'est absolument interdit de fouiller sans permission !

Là, je ne réponds pas. Je ne veux tout de même pas qu'il pense que je suis totalement indiscrète et impolie ! Toujours ma réputation ! Mais j'ai hâte que cette partie de mon plan se termine. Je ne suis pas très à l'aise, moi, dans le rôle d'une fouineuse !

C'est vrai que c'est pour une bonne cause ! Et que j'ai une mission à remplir ! Mais quand même ! Boris a écrit : « TA MISSION aujourd'hui : éloigner monsieur Trempe du SAS pendant TOUTE la journée ! »

Boris a dit !

Pendant que je cogite dans ma tête, monsieur Trempe a eu le temps de remplir le bureau de fumée noire.

— Bon ! finit-il par dire. Bon ! Je ne peux pas m'occuper de toi maintenant ! Mais j'ai horreur des fouineuses comme toi ! Tu vas me suivre, tu

267

vas venir avec moi. Je ne veux pas te laisser ici, sans surveillance. Dès que j'ai terminé ce que j'ai à faire, je m'occuperai personnellement de toi ! PERSONNELLEMENT !

Ouf, ouf, et ouf encore !

C'est gagné ! Je vais pouvoir le suivre toute la journée... et m'assurer qu'il ne remettra pas les pieds au SAS !

Boris a dit !

11 h 45 — Dans l'auto de monsieur Trempe.

C'est fou ce qu'il a des courses à faire, cet homme-là ! Pharmacie, épicerie, cirage de chaussures...

C'est ennuyeux rare de rester assise dans une auto à attendre ! Mais au moins, je l'ai sous les yeux !

Bon ! Qu'est-ce que je peux bien inventer pour passer le temps ? Compter les autos jaunes ? Banal !

Les chapeaux rouges ? Je n'en vois aucun !

Bon... Je vais compter les lampadaires sur une rue, puis diviser par 2, multiplier par 4 et additionner 25...

14 h 12 — Je n'en peux plus !

J'ai déjà compté 287 lampadaires sur 13 rues. J'ai fait toutes mes opérations et suis arrivée à un chiffre de 189 567 !

Un chiffre qui ne veut absolument rien dire !

Monsieur Trempe vient de se garer devant un restaurant.

— Suis-moi, qu'il me fait. Ce sont les premiers mots qu'il prononce depuis le matin !

Il pousse la porte du restaurant, me désigne de la main le dernier banc, au fond.

— Mange et attends-moi ! Lorsque j'aurai fini, nous retournons au SAS.

Oh ! Au SAS ? Oh ! Non !

Non !

Il est trop tôt !

Monsieur Trempe doit être absent du SAS TOUTE la journée !

En attendant de trouver une solution, je me commande un lait fouetté. J'adore les laits fouettés. Celui-ci est moelleux de crème fouettée sur le dessus, avec une cerise.

J'observe monsieur Trempe pendant que je sirote mon lait. J'observe, j'observe, je fronce les yeux...

J'avais bien deviné ! Monsieur Trempe fait des paris. Des paris pour le spectacle de demain soir ! Comme Baltazar ! Monsieur Trempe est entouré d'hommes qui viennent s'asseoir, les uns après les autres, autour de sa table. Et comme Baltazar, il échange des billets de banque !

C'est comme si j'étais revenue au Cirque Nomade !

Bizarre, bizarre, bizarre comme le monde est exactement semblable, partout sur la planète!

Est-ce que ce sont juste les couleurs qui changent?

Monsieur Trempe est habillé en gris, Baltazar s'habillait en bleu!

Mais ils sont pareils!

15 h 56 — Toujours au restaurant.
Monsieur Trempe se lève.

Il a fini son petit manège d'argent.

Je suis sûre qu'il va vouloir retourner au SAS.

Et ça, pas question!

J'ai un petit moment de découragement!

Mais passager!

Il vaut mieux trouver une idée.

J'ai trouvé.

Je l'exécute!

— Viens! me commande monsieur Trempe.

Je le suis jusqu'à son auto.

— Zan! me crie-t-il. Où es-tu? Je ne te vois plus!

— Je suis ici, monsieur Trempe. Je vérifiais votre pneu.

— Qu'est-ce qu'il a, mon pneu?

— Un problème, je crois!

C'est sûr! Je viens de le dégonfler avec une épingle!

Il est furieux ! Furieux !

— Zan ! Tu as vu quelqu'un jouer avec mes pneus ?

— Moi ? Non, monsieur Trempe. Je n'ai rien vu !

C'est vrai ça, ce n'est pas un mensonge, c'est un petit arrangement. Je n'ai vu personne ! Personne d'autre que moi !

Monsieur Trempe finit par se décider. Il appelle un garagiste.

C'est long ! C'est looooooong, avant que le garagiste arrive !

Moi, je gagne du temps !

18 h 23

Le garagiste est enfin venu !

Il a regonflé le pneu.

Mais j'ai rempli ma mission : monsieur Trempe est resté loin du SAS toute la journée.

Moi, j'ai bien hâte de revenir au SAS, pour voir pourquoi je devais le retenir loin !

19 h 38 — Au SAS !

— Attends-moi ici, qu'il me fait lorsqu'on est à l'intérieur. NE BOUGE PAS !

Et il se précipite dans son bureau dont il ferme la porte.

Je suis toute seule. Le SAS est vide. J'explore un peu. J'essaie de découvrir ce qui a changé à l'intérieur, ce que Boris a changé pour le spectacle de demain. Boris m'a écrit hier : « On ne verra rien, pas de changements, je te le promets. Monsieur Trempe ne pourra rien découvrir. Seulement moi, j'aurai préparé des accessoires spéciaux. Si tu les trouves, SURTOUT, NE TOUCHE À RIEN ! »

Alors, je me promène, je cherche, je regarde bien, je regarde encore mieux, je regarde partout.

Rien. Aucun changement visible dans le SAS.

Je m'approche des accessoires, des trapèzes, des soies.

Rien.

Rien. Rien. Rien.

Le SAS est absolument identique à ce qu'il était ce matin. Rien n'est différent. Rien n'est caché. Rien de ce que j'aurais dû y trouver, même bien caché, n'est là ! Aucun signe. Aucune trace.

Rien.

Alors, je me laisse tomber sur un gradin. Je suis défaite. Défaite en petits morceaux.

Boris n'est jamais venu au SAS aujourd'hui !

Il n'a rien préparé !

Le plan n'a pas fonctionné !

Tout ce que j'ai fait aujourd'hui ne servait à rien.

C'est raté. Raté.

22 h 28 — À l'appartement.

J'éteins mon ordinateur.

Ça ne sert vraiment à rien d'espérer.

Il est trop tard.

Beaucoup trop tard.

J'ai attendu toute la soirée que Boris réponde à mes appels à l'aide.

Mais c'est le néant. Zéro réponse. Silence noir.

Boris, qui devait nous aider, ne répond pas.

Mais qu'est-ce que tu t'imaginais, stupide Zan ? Qu'en 2 jours, il avait le temps de venir jusqu'ici, en avion, préparer le SAS pour attraper monsieur Trempe et nous protéger ?

T'es une idiote, ma vieille Zan !

Une idiote et une rêveuse !

Il ne peut pas voler, Boris ! Sauter d'un continent à l'autre en un seul pas de géant ! Ce n'est pas un extra-terrestre, Boris !

Comment je pouvais seulement espérer qu'il arriverait ici à temps !

Idiote ! Idiote ! Et stupide !

26 SEPTEMBRE

JOURNÉE NOIRE, NOIRE, NOIRE.

Jour de spectacle ! Jour funeste !

Et ce qui est pire, c'est que j'ai l'impression de revivre la même chose qu'au Cirque Nomade.

On dirait que je fais un cauchemar qui revient tout le temps !

Je ne veux pas me lever de mon lit. Je ne veux pas me lever de mon lit. Je ne veux pas me lever de mon lit.

Mais c'est quand même le matin. Même si je gardais les yeux fermés dur, dur, ça resterait quand même le matin ! Personne ne peut changer ça ! Aussi bien me lever !

Je me lève !

Ce qui est si terrible, avec la journée qui commence, ce n'est pas seulement le spectacle de ce soir, où on va tous se faire mal, c'est sûr.

Ce qui est pire encore, c'est que mes amis, Filis et les autres, avaient confiance en moi. Ils avaient confiance que je trouverais une idée, un plan, pour les aider.

Et moi, je viens de les laisser tomber. Je viens de les trahir.

Ça, c'est absolument terrible !

Parce que je n'ai aucune idée pour nous aider ! Pas la plus petite parcelle d'idée ! Pas le moindre microbe d'idée ! Pas le plus petit atome d'idée !

Rien !

Je n'avais aucun plan de rechange, moi ! Aucun autre plan que celui de Boris ! Boris qui doit être coincé dans un aéroport quelque part !

Je le savais aussi ! Je l'ai toujours su ! Je l'ai toujours pensé ! On ne doit compter que sur soi-même ! Ne jamais se fier à quelqu'un d'autre !

Mes céréales ont un goût amer. Très amer. Je m'ennuie du sirop sucré de monsieur Bach !

9 h 30 — Au SAS.

— Rassemblement !

Bien oui ! On sait ! On sait !

— Ce soir, ce sera votre grand spectacle. Je m'attends à des performances exceptionnelles. EXCEPTIONNELLES ! Vous m'entendez bien ?

— Oui, monsieur Trempe.

— Allez, au travail ! Spectacle à 20 h !

Je me rends, le cœur triste, jusqu'à mes soies. Mes bonnes vieilles soies du SAS ! Si j'avais un autre cœur, aujourd'hui, je serais contente de les retrouver. Mais là... Tout va si mal !

— Zan !

Filis me chuchote.

— Zan ! Alors, quel est ton plan ? Qu'est-ce que tu as prévu pour ce soir ? Pour jouer un tour à monsieur Trempe ? Tu as caché un filet de sécurité ? Où l'as-tu caché ?

— Euh...

— Alors ? Dis-moi... Pour me rassurer !

— Euh...

— Pourquoi ne dis-tu rien ?

— ...

— Tu n'as pas de plan, c'est ça ?

— ...

— Tu n'as pas de plan...

— Non, Filis. J'en avais un, mais c'est raté...

Filis est déconfit.

— Je pense, finit-il par dire…, je pense, Zan, qu'il ne faut pas le dire aux autres. Ils seront très déçus et, surtout, ils auront encore plus peur au cours de leur numéro.

— Oui, je sais…

— On fera pour le mieux. Allez, ne t'en fais pas Zan. Tu as fait tout ce que tu as pu. Parfois, ça marche, et parfois pas. C'est comme ça !

Il est mignon, Filis. Il essaie toujours de voir les choses du bon côté. Mais il y a des jours où le bon côté des choses, je ne sais juste pas où il est…

14 h 25 — Au SAS.
Rien à dire.

On se pratique tous.

Et on tombe souvent.

Sans filet !

19 h 49 — Le spectacle est dans 11 minutes.

— Zan ! Zan ! Tu m'entends ?

— Oui, monsieur Trempe.

— Tu feras le premier numéro ! C'est toi qui ouvres le spectacle !

— D'accord !

Je baisse la tête. Au moins, il y a un bon côté à commencer. Comme je vais sûrement tomber dans les pommes, je ne pourrai pas voir mes amis tomber. C'est toujours ça de pris.

Mais non. Je dis des stupidités. Même dans les pommes, je serai inquiète. Dans les pommes et inquiète.

19 h 58 — Spectacle dans 2 minutes.
Les gradins sont remplis! Il y a du monde partout.

Tant de spectateurs pour un spectacle qui sera très mauvais.

Des fois, je ne comprends pas les adultes!

19 h 59 — Spectacle dans 1 minute.
— Zan!

— Oui, Filis!

— Attends! Il y a quelque chose qui dépasse de ton costume.

— De mon costume? Vite, Filis! Enlève-le! Je dois y aller.

— Voilà, c'est fait, Zan! Tiens, c'est bizarre! Regarde!

— Je n'ai pas le temps, Filis!

— Prends-le quand même! Je ne sais pas ce que c'est, mais ça te portera peut-être chance!

— Oh! Filis! Je suis assez énervée comme ça! Qu'est-ce que tu veux que je fasse de ce bout de papier?

— **Et maintenant,** fait la grosse amplifiée de monsieur Trempe, **voici Zan, aux soies!**

Projecteur. Je suis baignée de lumière. Je serre les dents. Et stupidement, je serre aussi le bout de papier !

20 h 3
Je suis au milieu de la piste. Aux bouts de mes soies. Les yeux aveuglés par le projecteur. Paralysée.

— **Allez, Zan ! Grimpe !** m'ordonne les gros haut-parleurs de monsieur Trempe.

Paralysée !

— Zan ! Maintenant !

Je prends une grande respiration, j'agrippe la soie, et...

Foutu bout de papier dont Filis m'a encombrée ! Je le laisse tomber et je le suis des yeux, comme une feuille qui tomberait d'un arbre à l'automne. Comme une Zan qui tombera des soies.

Le papier se pose à terre, tout doucement. Zan, elle, se posera à terre, tout durement.

Je l'observe encore, le papier, pour gagner du temps avant de me mettre à grimper. Et là, je vois... je vois...

Non ! Ce n'est pas vrai !

Je ramasse le papier.

Et tout à coup, comme si on venait de me piquer le fond de culotte, j'agrippe mes soies et je monte en chenille comme jamais une chenille n'a monté de sa vie. Je ne suis plus une chenille, je suis une fusée !

Et en haut, j'attends ! J'attends sans bouger !

20 h 5 — TOUS LES PROJECTEURS S'ALLUMENT ! C'EST L'APOTHÉOSE !

POUEEEET ! POUEEEET ! POUEEEET !

UNE FANFARE DE TROMPETTES, DE SIFFLETS, DE TAMBOURS ET DE COMPAGNIE A ENVAHI LE SAS ! UN INCONNU S'AVANCE SUR LA PISTE !

— MESDAMES ET MESSIEURS ! VOICI... VOICI...

VOICIIIIIIIIII... BORIIIIIIIIIIIISSSSSSSS LE CLOWN !

POUF ! POUEEEET ! POUEEEET ! BOUMM !

Du haut de mes soies, je regarde en bas avec un sourire. Boris est là, en train de faire des culbutes, en arrosant à pleine pompe à eau monsieur Trempe qui, pour une fois, est véritablement trempé !

Et Boris n'est pas seul ! Il y a sur la piste, dans les gradins, des dizaines et des dizaines de clowns au nez rouge. Des clowns qui roulent sur des ballons, des clowns qui jonglent, des clowns qui culbutent... et plein de clowns qui arrosent !

Les spectateurs sont tordus de rire en essayant de ne pas se faire arroser !

Pan !

Et, au milieu des clowns, au milieu de la piste, il y a un vieux monsieur habillé tout en blanc.

Un vieux monsieur qui joue du Bach au violon.

Un vieux monsieur Bach qui joue du Bach!

PAF!

Le toit du SAS éclate! Éclate en mille bulles! En mille ballons de toutes les couleurs qui descendent du ciel et viennent jouer dans la brise au-dessus des spectateurs!

Et tout à coup, avec le violon de monsieur Bach, commence une chanson. MA CHANSON! Celle du Cirque Nomade!

Et qui la chante? Oleg, Jo et les jumelles! Magnifiques dans les beaux costumes qu'on avait fabriqués dans la Roulotte-soleil!

Nous les enfants nomades,
Nous SURvivrons!

J'avais fait exprès pour insister sur le «SURvivrons» parce que je voulais dire qu'on n'allait pas juste vivre, mais qu'on allait vivre plus fort et plus intense que personne d'autre au monde! Pas de petite vie ennuyante pour nous!

En tout cas moi, moi, en haut, dans mes soies, je continue de sourire! Et je continue de regarder mon beau petit bout de papier! Un dessin que Dimitri a glissé dans mon costume sans que je le sache et que Filis a trouvé!

Il est là, Dimitri, je le vois, qui m'envoie la main au milieu des clowns !

Et là, qui est là ?

Mais c'est Rom !

C'est Rom, notre entraîneur du SAS !

22 h 45 — Toujours au SAS.

Comme je l'avais prévu ! Il y a tellement d'eau et de farine sur le sol du SAS qu'on marche dans des mini-gâteaux ! Mais de vrais gâteaux, on en a aussi, que monsieur Bach a cuisinés juste pour nous. Avec son sirop sucré ! Des litres !

Ce qui est aussi exactement arrivé comme prévu, c'est l'arrivée de Boris ! De Boris, juste au bon moment ! C'était LE PLAN ! Le plan que je croyais raté !

— Tu vois, Zan ! Il ne faut jamais perdre confiance ! Je n'arrête pas de te le répéter, me dit Boris.

— Je sais ! Je sais ! Mais tu ne m'avais pas dit que tu amenais tout le monde ! Oleg ! Jo, les jumelles et même Dimitri !

— J'ai pensé qu'on s'amuserait tous bien ici ensemble ! J'ai pensé aussi qu'il serait bien que le SAS reprenne l'envie d'avoir des clowns et de faire rire les enfants et les adultes ! Et je me suis dit que c'était la meilleure façon de faire fuir les nuages au-dessus de la planète-cirque du SAS ! Je n'aime pas les cirques noirs !

— Il n'y a plus de gros nuages! Il y a des milliers de ballons de couleur!

— Je sais, ajoute Oleg. Si tu savais le mal qu'on a eu à tous les gonfler!

— Et Rom, je demande, Rom, comment es-tu revenu au SAS? Où étais-tu passé?

— J'étais allé voir Boris! Boris le clown! C'est mon ami depuis toujours! On se connaît bien! Je lui ai raconté ce qui se passait ici et je lui ai demandé de m'aider! Je suis arrivé chez Boris le même jour où toi, Zan, tu es revenue au SAS! Et Boris m'a tout raconté! Et nous avons, ensemble, imaginé un...

— ... un plan de sauvetage du SAS, achève Boris qui porte toujours son gros nez rouge!

— Et monsieur Trempe? Où est-il?

— Ne t'en fais pas Zan, fait Boris. Je le rattraperai celui-là! Ce soir, c'est soir de fête! C'est la seule chose qui compte!

— Mais...

— Tais-toi! Il y a un temps pour être sérieux, et un temps pour rire! Ce soir, on fait la fête!

— D'accord!

0 h 22 — Filis est monté aux trapèzes avec moi! La fanfare continue de jouer, en bas! Tout le monde se roule dans la farine!

— Mais, ce que je voudrais savoir Zan, commence Filis, c'est quoi le lien entre ton Cirque Nomade et le SAS? Pourquoi Sofi et toi, vous

282

avez disparu dans les mêmes villes ? Comment ton Baltazar connaissait-il monsieur Trempe ?

— T'en as des questions, Filis ! Comment je me suis retrouvée là-bas ? Et comment Sofi aussi s'est-elle retrouvée là-bas ? Tu te souviens, Filis, de ces mots que tu avais entendus « L'international des artistes du Cirque » ?

— Oui, bien sûr !

— Cette compagnie appartient à monsieur Trempe. Et monsieur Trempe, grâce à sa compagnie, offre à tous les cirques du monde... non, il offre à tous les MAUVAIS cirques du monde, des artistes pour les numéros dangereux. Des acrobates, trapézistes, tout ça. Des enfants orphelins pour faire des numéros dangereux. Monsieur Trempe, c'est en quelque sorte un vendeur, et Baltazar m'a un peu... achetée ! Et Sofi, aussi, a été achetée !

— Achetée ! mais comment peut-on acheter des êtres humains !

— Ne pense plus à tout ça, Filis ! C'est fini. Ça n'existe plus ! Je suis chez moi ! C'est tout ce qui compte !

— Mais ?...

— Silence ! Filis !

1 h

De retour à mon appartement ! Dans mon petit lit si chaud ! Avec Oleg, Dimitri, les jumelles et Jo, tous couchés dans le salon. Tout près de moi !

283

La fête s'est terminée encore plus mal que je l'avais prévu! On a fini en faisant des boules avec la farine et l'eau... et, évidemment, tout ça s'est transformé en bataille de boules de neige... de boules de farine!

27 SEPTEMBRE

On a passé la journée au SAS! Tous ensemble! C'était extra, extra, EXTRA!!!!!!!!!!!!!!!!

On a filmé nos numéros! J'ai montré à mes amis de la Roulotte-soleil à ouvrir des messageries et des pages perso sur l'ordinateur.

Maintenant, nous sommes tous sur le Web, avec nos pages personnelles. Moi, ma page perso, bien, elle est comme la courtepointe de la planète! Tous mes amis sont en lien!

On a même posté notre thème musical!

Je leur ai aussi montré à mettre des mots de codes secrets. C'est dommage d'être obligé d'avoir des codes secrets, mais on ne sait jamais! Le monde peut être si méchant! Alors, il vaut mieux pouvoir communiquer juste entre nous quand on en a besoin. Pour m'amuser, cette fois-ci, j'ai mis le code Farine! ⌐ Il faut toujours garder le sens de l'humour. Mais c'est plus facile, c'est vrai, quand on est heureux! Et là, je ne suis pas malheureuse!

En tout cas, maintenant, j'ai des amis partout dans le monde! Nous nous sommes amusés à faire une carte sur PlanèteTroouve, de tous nos pays d'origine, avec les repères pour montrer d'où l'on vient !

On peut se parler, montrer nos numéros, mais aussi nos objets, nos amis, peu importe l'heure du jour ou de la nuit ! Peu importe où on est SUR TOUTE LA PLANÈTE !

ON EST DES AMIS DE LA COURTEPOINTE PLANÈTE !

Boris est venu me voir tout à l'heure.

— Boris ! Qu'est-ce qu'il a dit, monsieur Trempe ? Qu'est-ce qu'il a dit pour s'expliquer ? Tu lui as parlé ?

— Non. Je ne lui ai pas parlé. Rom et moi l'avons cherché toute la journée, mais nous ne l'avons pas trouvé. Il s'est enfui !

— Enfui ! Mais il va revenir, il va revenir au SAS, il va tout recommencer et il va...

— Calme-toi, Zan ! Calme-toi ! Tout va bien ! Tout est fini ! Tu ne t'amuses pas ?

— Évidemment !

— Alors, n'y pense plus !

22 h – À l'appartement !

Épuisée, mais tellement contente !

Je rentre à l'appartement ! Demain, on s'est tous donné rendez-vous tôt. Super tôt ! Monsieur Bach fera des crêpes et nous, on a des tas de plans et...

Tiens ! Madame Ursule ! Elle m'attend devant ma porte d'appartement ! Qu'est-ce qu'elle fait là ?

— Madame Ursule ! Qu'est-ce… ?

— Ah ! Zan ! Zan ! Je t'attendais !

Je l'observe. Je la trouve bizarre, ce soir, madame Ursule ! Bizarre ! Comme… comme plus calme que d'habitude !

Beaucoup trop calme, en fait !

Pas normal !

Je n'aime pas trop ça quand madame Ursule ne ressemble plus à la vraie madame Ursule.

Elle ouvre la porte de mon appartement, me laisse passer en premier et…

… et…

… et…

Maman !

Maman !

Ma petite maman !

— J'ai dit à l'hôpital que je t'aiderais à t'en occuper. Alors, je l'ai ramenée ici ! Pour toi ! Je voulais te faire une surprise et…

Je ne sais plus ce qu'elle a dit ensuite, madame Ursule…

Parce que, moi, j'étais dans les bras de maman !

Toujours pareille, dans son lit d'hôpital, mais là, avec moi…

AVEC MOI !

— Je ne te quitterai plus jamais ! Plus jamais, maman !

1 h
Des fois, la vie, c'est tellement, tellement beau !

8 mois plus tard
P.-S. – Monsieur Trempe est revenu ! Au SAS ! Je le savais !

Je l'avais dit à Boris !
Mais il ne m'écoutait pas !
À suivre !